前向きに、あきらめる。

一歩踏み出すための哲学

小川仁志

集英社

はじめに

「あきらめる」

ネガティブなようにも聞こえるが、なぜか肩の荷がすうっと下りるような心地がしないだろうか。

コロナ禍で、多くの人が人生を顧みる機会を持ったという。自分がどれだけ力んで生きてきたかは、止まってみないとわからない。ただ、自分ではなかなか止まれないものだ。だからコロナ禍の自粛生活のような強制終了ボタンが押されると、急に我に返ってしまうのだろう。自分はこれまでいったい何をしてきたのかと。

たしかに生きるために必死だった。成長も成功もしたかった。お金も仕事も出世も、そして恋愛や結婚も、何もかも手に入れたかった。

でも、そのために犠牲にしてきたものは、あまりにも大きかったのではないだろうか。走っている時は前しか見えない。立ち止まって、転んで初めて、地面や後ろ、そして周りが見える。自分も見える。そしてボロボロになって傷ついている自分を見て、思わずあきらめたくなる。足掻《あが》いていた自分に気づき、あきらめに向き合い始めるのだ。

しかしあきらめることは、決して簡単なことではない。たとえばマラソン。転んだからといって、そこであきらめる人は少ない。足を引きずってでも走る人だっている。どんなに傷ついていたとしても、犠牲の大きさに気づいたとしても、なかなかあきらめきれないのだ。人生ならなおさらだ。

実はあきらめには、ためらう、捨てる、降りる、開き直るといったように、プロセスや段階がある。これはあきらめ方の種類といってもいいだろう。その中にもまた、選択する、決断する、逃げるといった要素が絡んでくる。

そうした心の動きを丁寧に確認することで初めて、人は善く生きていけるのだと思う。とりもなおさずそれこそが、哲学の意義にほかならない。

あきらめると簡単にいうけれど、そこに至るすべての行為、想いは、そう単純には捨てられない。そもそも、一つひとつの行為や想いの意味でさえ、曖昧《あいまい》でよくわかっていないことが多い。それらを丁寧に解きほぐしていかないことには、最後の一歩を踏み出せないのだ。だから哲学が求められる。

哲学とは、わかっているようで実はよくわかっていなかった言葉について、ああでもないこうでもないと考え続けることで、その核心にあるものを探る営みである。時に人はその核心のことを本質と呼ぶ。

物事の本質を知るには、その物事を表している言葉の輪郭をぼかし、同時にその言葉の背後へと奥深く潜《もぐ》っていく必要がある。私たちが日ごろ見ているのは、物事の表面にあるラベルのようなものにすぎない。それが言葉として日常を跋扈《ばっこ》している。

あきらめるという言葉を聞くとまず、それはやってはいけないことだと感じてしまう。一見ネガティブな言葉は、私たちを萎縮させることのほうが多いだろう。

はたして本当にそうなのだろうか？　私たちは言葉に縛られているだけではないだろうか？

言葉の輪郭をぼかし、奥深くへと潜る探検をすれば、それが明らかになってくるだろう。実際、あきらめるのはそんなに悪いことじゃない。

かくいう私も、これまでの人生においていくつものことをあきらめてきた。学生時代までやってきたバンドも才能がないからあきらめた。商社を辞めたのもある種のあきらめだった。人権派弁護士になるのも政治家になるのもあきらめた。能力もなかったし、結局向いてもいなかったのだろう。

哲学との邂逅《かいこう》によって運よく大学教授になった今もなお、日々ためらうことはある。ただ、ほかでもないその哲学のおかげで、うまくあきらめられるようになった。

そう、本書は私自身が「あきらめ」を主題に哲学した軌跡である。あきらめへと至る軌跡といったほうがいいかもしれない。読者の皆さんにはその軌跡をたどっていただきながら、自分自身の人生について考えるヒントにしていただきたいと思う。

そのために本書では、読み手の側が自分と重ねて各々のテーマに向き合えるよう、ある工夫をしている。具体的には、各章の冒頭と末尾にストーリーを設けた。そこにはさまざまな人物が登場するが、皆これからの人生の歩み方について悩む人たちだ。おそらく誰しも自分と重なるところがあると思われる。

各章はいずれも①導入のストーリー、②私の書く哲学エッセイ、③その後のストーリーの3段階で構成されている。ストーリー部分の設定はこうだ。

商店街のスーパーの一角にある占いスペースに、なぜか「哲学悩み相談」のブースがある。大学で哲学を教えながら、研究の一環として悩み相談に哲学を応用する私が、今日もまた悩める人を待っている。そこにさまざまな悩みを抱えた男女がやってくる。皆わざわざそこを目指してくるわけではない。あたかも悩める時に哲学という文字が目に留まるのと同じように、偶然そのブースを目にしただけのことだ。

そして、あきらめについてさまざまな視点から綴った哲学エッセイを私から手渡される。まるで医者が薬を処方するかのように。そのエッセイが、各章を構成する本文になっている。それを読んで、彼らはまたそれぞれの道を歩み始める。

さて、人はどう人生をあきらめ、それでも前に進んでいくのか。

何もかもが思い通りにいくわけがないのだから、ためらいや迷いがあるのは当然だ。でも、そこで苦しむのと、うまくあきらめて乗り越えていけるのとでは大きな違いがある。

本書は、哲学悩み相談の場所をたまたま訪れた5人の男女の物語であり、あなた自身の物語でもある。私自身が哲学で困難を乗り越えてきた経験や、さまざまな哲学から学んだ英知を紹介しつつ、思いがけない事態を前に、それでも人生を前に進めていくための方法について論じていきたいと思う。それは前向きにあきらめるための、一歩踏み出す哲学である。

目次

第2章

ためらう

第4章 降りる

第5章

開き直る

装画　はやしなおゆき
ブックデザイン　bookwall

第1章 あきらめる

こんなはずじゃなかった。

世界中を突如襲った新型コロナウイルスは、多くのビジネスパーソンに自粛生活なるものを強いた。それまで日々やるべきことに追われていた人たちは皆、それまでの生き方や自分というものを見つめ直す機会を持つことになった。

工作機械メーカー勤務の中田良治もまたそんな一人だった。

「いつまで続くんだろう」

中田は溜息交じりに妻の亜紀に向かってそういった。

「気分転換に歴史の本でも読んだら？」

かつて中田は歴史学に興味を持っていた時期があった。学生時代の話だが、一時期は大学院に進んで研究しようかと思ったことさえあった。でも、現実を見て就職することにしたのだ。当時は就職氷河期で、就職活動をしているうちに自然と夢をあきらめてしまった。

「お父さん、本屋さんに連れていってよ」

中田には小学4年生になる一人息子の優斗がいる。

「よし、久しぶりに行くか！」

都心ほどではないものの、駅前の書店は割と大きく、ジャンルごとに棚がある。亜紀の言葉に導かれるように、中田は歴史書のコーナーに足を運んだ。歴史書は意図的に避けてきたので、学生時代以来のことだ。1時間くらいいただろうか。気づけば大人買いどころか爆買いになっていた。

買ってきた大量の歴史書を読み進めるうちに、中田の胸に歴史学に対する昔の熱い想いがよみがえってきた。そして困ったことに、もう一度歴史学者になりたいという夢が頭をもたげてきたのだ。いや、もっと正確にいうと、「何者かになれたかもしれないのになれなかった自分」を変えたいという気持ちが湧いてきたのだった。

翌日、商店街を散歩していると、ふと「占い」の文字が目に入ってきた。

「占いかぁ。見てもらったことないなぁ。当たるのかな」

中田は人生をどう歩むべきかわからなくなっていた。占いの文字に反応したのも、そうした理由からだろう。

スーパーの入り口前にある占いスペース。二つのブースが並んでいる。中田は直感的に奥のブースに入り込んだ。だから見落としていたのだ、その看板を……。

「すいません。占ってもらえます?」

「ここは占いじゃないんですけど。占いはお隣さん。こっちは哲学悩み相談ですよ」

「あ、紛らわしいですよね。一応看板には『哲学』って書いてあるんですけど」

「それって占いの一種ですか？」

「そういってもいいですけど、一応違います。人生の悩みを聞くのは同じですけどね。私は哲学者の小川仁志といいます。日ごろは大学で哲学を教えているんですが、哲学が人の悩みにどれだけ有効か研究するためにこういう活動をしています。まぁ座ってください」

小川はそういうと、中田の目を見てニコリと微笑みかけた。

間違えて入ったものの、人生相談をするにはこっちのほうが安心できそうだ。中田は思い切って自分の状況を話すことにした。

「実はですね、コロナで自粛生活を強いられて、それがきっかけで歴史書を読み始めたんですよ」

中田は若いころ歴史学に入れ込み、歴史学者になりたかったこと、そしてこれまでそのことからあえて目を背けて懸命に生きてきたことなどをひとしきり話した。

「ということで、もう一度歴史学を本格的に勉強して、歴史学者になれないかと思い始めたんですが、無謀でしょうかね？」

「いや、夢を追い求めることは素晴らしいと思います。でも、今の安定した生活をどこまで犠牲にするかですよね」

「そうなんです。だから我慢しようと思うんですけど、そう思えば思うほどやりたくなるんですよね。で、つらくなるんです」

「よくわかりますよ。でもね、同じような夢を持ってチャレンジしてきた人を見てきましたけど、現実は簡単じゃないですよ」

「そうですよね。40代から歴史学者を目指すなんて、ばかげていますよね。やっぱりあきらめないといけないのかなぁ」

「あきらめきれない気持ちはよくわかります。もしよければこれを読んでみてください。『あきらめ』に関する原稿です。本でいうと20ページくらいですから、すぐ読めると思いますよ。実際本にするつもりで順番に書いているんです。第1章といったところです」

小川はそういって原稿を中田に手渡した。

家に帰った中田はむさぼるようにその原稿を読み始めた。そこに書いてあったのは……。

人生は途方に暮れるもの

試行錯誤のための作戦タイム

今日は快晴のはずなのに、駅を出た途端雨が降ってきた。当然傘なんて持っていない。

「まいったな……」

そんな時私たちは途方に暮れる。

もちろん、だからといってずっとその場に立ち尽くすことはない。目的地に行くために、前に進まなければならないからだ。

人生にはこういうことがいくつも起こる。突然の雨ならまだいいほうだ。中には愕然《がくぜん》とするような出来事もある。理想に燃えていたのに、突然現実を突きつけられることだってあるだろう。仕事でノリに乗っていたのに、突然病に倒れるとか、なぜかリストラされるとか、思ってもみないパンデミックが起こるとか。そして、途方に暮れる。

でも途方に暮れるのは決してネガティブなことじゃない。そもそも途方に暮れるというのは、文字通り途方つまり手段がなくてただ時間が過ぎていくというイメージだ。だから決して終わってしまったわけでも、我慢しなければならないわけでもない。作戦変更を強いられただけのことなのだ。

そして作戦変更は何事にもありうる。むしろ、物事がすべて思い通りにいくなどということのほうがあり得ない。道がどこまでも続くと思ったら大間違いなのだ。急に行き止まりになることだってある。

そんな時どうするか？

あらかじめ複数の道を用意しておくというのは、模範解答のようで実はそうではない。あらゆる物事において、あらかじめ複数の道を用意するなどというのは不可能だからだ。カーナビですら、その場その場で計算し直す。ましてや人生の場合、その場その場で試行錯誤が必要になってくるのだ。

途方に暮れるというのは、そのための作戦タイムだといっていい。さて、どうしようかと。

試行錯誤の過程は客観的に見ると、人を鍛えるし、また人生を大きく変える契機にもなる。本人にはそんな余裕はないかもしれないが、外側から見ると大事な時間なのだ。ここでいかに悩み、どんな道を選ぶかがその後の人生に大きく影響を及ぼすからだ。本人だって、後から振り返ってみると、あの時悩んだから今があるといえるに違いない。いや、そういえるようにしなければならないだろう。

意志を否定するしかない？

問題は、人生というのは往々にしてそんな悠長《ゆうちょう》なものではないという点である。何年も時間が与えられるならいい。ところが、人生のほとんどの道は突然行き止まりになり、突然方向転換を余儀なくされるのだ。

急にリストラされれば、生きていくために次の仕事を探さなければならないだろう。急に結婚を迫られたら、相手があることなのだから、早く決断しないとタイミングを逃すだろう。急に資金がなくなったとか、世の中の事情が大きく変わってしまったような場合もそうだ。

想像してもらいたい。あなたが今誰かに追われているとしよう。たとえばよく知られた『古事記』の一節。黄泉《よみ》の国でイザナミとの約束を破ったばかりに、鬼女たちに追われる身となったイザナキもまた「こんなはずじゃなかった」と途方に暮れた一人であったに違いない。

イザナキは必死で逃げた。そして鬼女たちを払いのける手立てを次々と講じた。髪飾りから生まれた山葡萄《やまぶどう》を投げ、櫛《くし》から生まれた筍《たけのこ》を投げ、ついには黄泉の国と現世との境に生えていた桃の木の実を投げつけた。この手がダメならあの手を、あの手がダメならこの手を、それもダメならまた別の手をと。言い換えるとそれは、途方に暮れることの連続だったのかもしれない。でも、前に進むよりほかなかった。

結局イザナキは前に進むために、イザナミとの間に永遠のわだかまりを抱えることになってしまった。イザナミが一日に1000人を殺す代わりに、イザナキは一日に1500人の命を生み出すことになったからである。

私たちがそんなイザナキとイザナミの子孫だから苦しみ続けているとまではいわないが、わだかまりを抱えながら前に進まざるを得ない状況にあるのは事実だ。神々の取引ほど壮大ではないにしても、それぞれの人生においてそれなりに苦しい決断を迫られているのは確かだろう。

とはいえ、人がいったんこうと決めて進んできた時、物事をあきらめるのはそう簡単ではない。夢や理想を抱き、欲望のままに突っ走ってきたはずなのに、いきなりそれをあきらめるなんて。とりわけ叶わぬ欲望は人を苦しめる。

あきらめるには、もう意志を否定するしかないだろう。そう説いたのは、近代ドイツの哲学者ショーペンハウアーである。「ペシミズム」の哲学者として知られる人物だ。ペシミズムによって幸福になれると考えたのだ。

ペシミズムとは、一般に悲観主義だとか厭世《えんせい》主義などと訳される思想的立場のことである。ラテン語で最悪を意味するpessimumから来ているだけあって、物事や事態をもうどうしようもないと考えてしまう傾向がある。

しかしショーペンハウアーの場合、このペシミズムを肯定的にとらえようとする。彼にいわせると、世界と人生は意志の闘争の場である。その闘争から離脱することが、苦悩からの解放をもたらす。だから離脱は解脱《げだつ》なのだ。

面白いことに、西洋哲学の正統な流れをくむ哲学者であるにもかかわらず、ショーペンハウアーのペシミズムは東洋の思想、つまり仏教の影響を受けている。幸福になるためにあきらめよと説くのである。逆説的に聞こえるがゆえに、そこには私たちが思っている以上の深い真理がある。

その真理を探るべく、ショーペンハウアーにならい、まずは仏教における「諦念《ていねん》」の概念を考察してみたい。

それでも人は足掻きたい

あきらめがポジティブになりうる要素

あきらめる（諦める）という言葉は、仏教の世界では「諦観《ていかん》」と表現されたりする。まさにあきらめというものの見方、とらえ方を意味するわけだが、それは決してネガティブなものではない。

そもそも諦という字はサンスクリット語のsatyaから来ており、この語は真理を意味する。むしろ、あきらめるということは、真理を明らかにすることでもあるのだ。そうやって納得を目指す。

仏教用語としての「四諦《したい》」はとくに知られているものだが、文字通り四つの真理を明らかにすることで、悟りを開こうとする。

まず「苦諦《くたい》」。これによって人生は苦に満ちていることを認識する。

次に「集諦《じったい》」。これによって苦の原因を明らかにする。

そして「滅諦《めったい》」。これが苦の滅した涅槃《ねはん》の境地である。

その境地に達するための道筋が、最後の「道諦《どうたい》」である。

さらに道諦の内容は、「八正道《はっしょうどう》」という名称のもと、八つの正しい生き方として定められている。正しくものを見る正見《しょうけん》や、正しく思惟《しい》する正思《しょうし》など、いずれも私たちの日常の行為に正しいという言葉が付いている。要は正しく行動し、判断することで、真理を発見することができるというわけである。そうすれば迷うことなく、前に進むことができる。

あきらめは、そんなポジティブな側面を内包しているといっていい。

しかし、普通に生きているだけでは、あきらめがポジティブな営みになることは少ない。なぜなら、押しつけられ、突きつけられ、嫌々選ぶ道だからだ。これでは正しい道にはなり得ない。この場合はあきらめるのではなくて、誰かによって、何かによって、あきらめさせられるのだ。

仏教の説くあきらめがポジティブなものたりうるのは、その逆で、自ら進んで選ぶ道であるからにほかならない。あきらめが納得の果実としてもたらされる。その道こそが正しいと思えて初めて、人は納得できる。だからたとえ客観的に見てネガティブな選択であったとしても、あたかも煩悩《ぼんのう》の炎が吹き消されて、静寂が訪れた瞬間のように、本人は落ち着いた境地でいられるのだ。「涅槃寂静《ねはんじゃくじょう》」とはそういう心の状態をいう。

ここではあきらめは逃れられない現実ではなく、求め続けていた理想として位置づけられている。仏教の開祖であるブッダの修行とは、その意味であきらめを体得する営みであったといえるだろう。

もともとブッダは欲望から逃れるために修行を始めた。そのために我慢を極限まで追求しようとしたのだ。しかしそれは何の役にも立たなかった。そうではなくて、欲望から逃れるには、我慢しないことを極限まで追求する必要があったのだ。それは我慢することすら消去してしまうような、無の境地である。

心を抑えるのではなく、無にしていく作業。瞑想《めいそう》こそがそれを可能にする方法であった。一般に瞑想とは、心を静めて無心になることだとされている。仏教においてそれは「バーヴァナー」と呼ばれる。この語が修習などと訳されることからもわかるように、瞑想もまた修行なのだ。

ただし、苦行のように身体を使った修行ではなく、むしろ身体という変えることのできないものに精神を合わせていく営みである。それは決して思考によっては実現することができない。思考した瞬間、心に何かが浮かんでしまうからである。そこが難しいところだ。

最後に割り切れなさが残る

フランスの哲学者パスカルがいったように、「考える葦《あし》」としての人間は、思考することをやめられない。植物の葦のように弱い存在である人間にとって、思考できるというのは存在意義にもかかわることだ。

そのせいか、西洋の哲学は基本的に思考することを善とみなしている。だから欲望を抑えるのも思考によるしかない。しかしそこには限界があるのだ。思考とは分析であって、物事を分ける行為だといえる。

そうすると、いくら分けても、必ず何かが残る。どれだけ細かく刻んでも、粉になっても消去することはできないのだ。その意味で思考は微分《びぶん》たらざるを得ない。だから消去を目指したショーペンハウアーは、仏教をはじめとした東洋思想に目を向けざるを得なかったのだろう。

しかし、消去してしまうことが絶対的に正しいとはいいきれない。東洋にあっても、やはり人間は考える葦である。同じ人間だ。だから思考することをやめるのは、不自然な行為であるように感じる。

思考という分ける行為が、それでも分け切ることのできない何か。最後に残る何かが、割り切れなさなのではないだろうか。私たちはよく「割り切れない」という。その宙ぶらりんの感覚はもやもやした否定的なものであると同時に、どこか人間的な温かみを感じさせてくれるものでもある。

あきらめる、明らかにするといわれると、納得はいくが、それで終わってしまうような寂しさと、終わらされてしまったような冷たさを感じるのは私だけだろうか。自分で納得して終わらせているのだが、そしてそれゆえにポジティブなあきらめになっているわけだが、何かがひっかかる。究極のところでは、どうしようもない力にあきらめさせられたという、ネガティブなあきらめとつながっているような気がするのだ。

私たちが本当に求めているあきらめとは、そんな簡単なものではないように思われる。あきらめるという言葉には、常に「今は」という留保がつきまとう。それゆえに「終わる」とか「やめる」とは表現しないのだ。

その「今は」を仏教なら往生際が悪いと非難するかもしれない。でも、人は足掻きたいのだ。どれだけ環境や自分自身に追い立てられ、あきらめの微分を続けるとしても、最後に残る何かに賭けたいのだ。

一歩進むというあきらめ

解決の放棄は「未解決」ではなく「反解決」

一歩進む。それは決して解決ではないが、世界を二つに分けるとしたら、明らかに解決のほうに分類できる。ただしその場合の二つの世界は、未解決と解決を指すのではない。「反解決」と「解決」という二つの世界だ。

反解決という言葉は私の造語である。とはいえ、この世の中には無数の人たちが無数の言葉を生み出している以上、本当に私の造語であるかどうか到底調べきることなどできない。だからまずは、私のいう反解決状態を説明しておく必要があるだろう。

未解決が文字通り未だ解決していない状態を指すことは明らかだ。ということは、それはまだ解決していないだけであって、解決に向かっているわけである。たとえそれが迷宮入りした事件であったとしても、未解決事件と呼ばれる限り、眠っているだけで、解決のためのプロセスは進行中なのだ。

実際、ふと誰かが問題に気づいて、突然昔の事件が解決するということがある。推理小説でもよく見るシーンだ。もうとっくに忘れ去られたと思っていたのに、ある日突然刑事が訪ねてくるというように。だから未解決はあくまで解決の集合の中に含めることができるというわけだ。

それに対して、反解決というのは、解決に反するということなので、もう一切解決することを放棄してしまった状態、あるいは解決が物理的に不可能になってしまった状態をいう。

この世の中には解決を放棄しなければならないことがたくさんあるはずなのに、どうしてこの状態を指す適切な言葉がないのか不思議で仕方がない。それとも、人はいったん取り組んだことは、決して消し去ることはできないと思っているのだろうか。物理的にはそうなのかもしれない。しかし、少なくとも主観的には解決を放棄することは可能だ。その状態を反解決と呼んではどうかというのが私の提案だ。

一歩進むといえば、いかにもあきらめずに前に進んだように聞こえるだろう。解決に向かって何らかの進展があったということだ。

ところが、この一歩には、そうしたあきらめずに前に進むというのとは正反対のベクトルに進むことも含まれる。「あきらめるために一歩進む」ということもありうるのだ。そしてそれもまた解決への一歩として、前進ととらえることができる。ここであきらめるということの多義的な側面が立ち現れてくる。

人間は前に進むようにできている

ここまで見てきたように、あきらめるということにはネガティブな側面とポジティブな側面があった。つまり、外的原因のせいでやむなくあきらめる場合と、真理を得るために進んであきらめる場合である。

さらにそれとは別の次元で、あきらめないかあきらめるかわからないような中間の状態も想定しうる。それが一歩進むということなのではないだろうか。一歩進むというのは、その後あきらめずに進むかもしれないし、あきらめる方向にさらに進んでいくかもしれない状態だ。

中にはそれを「保留する」と表現する人もいるだろう。保留は何もしないことではない。とりあえずギリギリまで一歩進めているのだ。今判断できないので、とにかくギリギリまで進んで、事態を見極めようというわけだ。

それに、保留して待っていれば事態が変わるかもしれない。その蓋然《がいぜん》性（確実性の度合い）が高いのなら、今すぐ決める必要はない。やろうと思えば後からいくらでもできるからだ。そうやって最後の最後まで粘るのだ。

先延ばしのように聞こえるかもしれないが、別にそれは悪いことではない。むしろ保留する態度には忍耐が求められる。たとえそれが悪い結果であったとしても、はっきりしたほうが楽に決まっている。煮え切らないのが一番苦しい。

きっと人間は前に進むようにできているのだろう。身体の構造からしてそうだ。顔は前についているし、足は前に進む仕組みになっている。振り向いたり、後ろ向きに歩いたりするのは不自然だ。止まってもいられるが、いつまでもというわけにはいかない。そのうち身体がしびれてくるだろう。同じ姿勢で寝たきり状態だと、褥瘡《じょくそう》ができてしまう。だからずっと動かないなどということは不可能なのだ。

一歩進むというあきらめは希望への叫びでもあるのだろう。濡れ衣を着せられた人が、刑場へと足を運ぶ時、その一歩一歩はまさに希望への叫びを上げているに違いない。次の一歩を踏み出した瞬間、奇跡は起こるまいかと。

考えてみれば、私たちが日々踏み出す一歩一歩は、常にそんな希望への叫びを上げているのだろう。人生はいつも不確実なのに、無数の決断を迫ってくる。私たちはその圧力の前に、ただ小さな歩幅分の歩みを進めることしかできない。

でも、いつかは決めなければならないのが人間だ。そうでないと、ネガティブなあきらめを甘受《かんじゅ》しなければならなくなる。だからどこかで自分からあきらめたほうがいい。問題は、それがいつなのかということだ。

あきらめるのはいつがいいか

先延ばしすればするほど無念が大きくなる

やりたかったことを永遠にやめるのだから、それはとてもつらい決断なのだと思う。そうならないようにするために、私たちは最善の努力を尽くすのだ。それが一歩進むということにほかならない。

人間の行動にはすべてタイミングがつきまとう。何かをするからには、いつするのかということが必ず問われてくるのである。とりわけ、やらねばならぬことを先延ばししている時、人は決断のタイミングに悩む。

悩むには二つの理由がある。一つは、そもそも決断したくないからだ。もう一つは、そのタイミングでいいかわからないからだ。

一つ目に関しては、「時間切れ」という概念が鍵を握る。時間が永遠にあるのなら、別に先延ばしを続ければいいだけのことだ。決断する必要はなくなる。タイミングとは時間を意味するtimeから来ているように、時間を決めるということにほかならない。

幸か不幸か、人間に永遠は許されない。いつかは時間切れという事態が訪れる。そう、時間切れは自分が決めるタイミングとは異なり、訪れるものなのだ。どんなに抵抗したとしても、強制的に終了させられる。

以前、宝塚音楽学校を目指していた人から悩み相談を受けたことがある。年齢制限であきらめたといっていた。年を取る人間という生き物にとって、年齢制限はもうどうしようもない。その極致が死である。人は年を取る。そしてやがては死を迎える運命なのだ。どんなに先延ばししても、粘っても、死期が訪れたら最後である。

その時、人は「無念」という言葉とともにこの世を去る。本来の無念は、仏教の用語で無我の境地を指すものだが、転じて残念だという意味で使われている。つまり、想いが遂げられず、つらい心情を表す時に用いられる言葉なのだ。先延ばしにすればするほど、その無念は大きくなるに違いない。

日本ではその情念の強さを想像することで、多くの人情もの、あるいは成仏できない幽霊や妖怪の話が生まれてきたのではないだろうか。あの世に行ってもまだあきらめようとしない姿を物語として描いてきたのだ。ただ、誰も死後の世界を見たことがないのだから、そうした物語は、死によって人が物事をあきらめざるを得ないことの裏返しだといっていいだろう。

結局、決断したくないといっても、最後は強制的に、究極的には神によって決められてしまう。それでいいのなら、引き延ばせるだけ引き延ばせばいい。死ぬまで待つか耐えるかするだけのことだ。でも、実際にはそれが無念だから、嫌だから決断のタイミングに悩むのだろう。

意味の喪失が決断の最大のタイミング

そこで二つ目の悩む理由が頭をもたげてくる。どのタイミングがベストなのか。

ここでは意味の喪失が影響してくるように思われる。人間の営みには条件がある。つまり、条件が整わない限り、何もできないのだ。そこには体力やお金、先ほどの時間も含まれる。

そうした条件が欠けてしまうことで、自分の営みの意味が喪失することがあるのだ。たとえばスポーツ選手が病気にかかるとか、起業しようと思っていた人が財産を失うとか、小説家が創造性を失ってしまうとか。もちろん、状況が改善することはあるだろう。でも、その時点では条件が欠けてしまったのだから、あきらめざるを得ないのだ。

より深い意味の喪失は、「やる意味がなくなった」という形で表現されることが多い。この場合、欠ける条件は目的や動機だ。誰かのために努力している時、その誰かが死んでしまうとどうなるか。もう努力する意味自体が失われてしまう。これは自分の死とは異なり、時間切れの強制終了ではない。物理的にも何らかの形で続けられる可能性はあるし、何より精神面ではあきらめないということが十分可能だからだ。

ただ、意味の喪失があきらめを決断する最大のタイミングであることは間違いない。そこを逃すと、決して成就することのない営みを、おそらく死ぬまで続けてしまうだろう。

小説や映画では、死んでしまった人を愛し続けるというストーリーがよくある。それは美しいことだが、主人公はいつまでも新しい人生を歩めずにいる。少なくとも客観的にはそう映るのだ。だから周囲の人間は、あきらめるように促す。最終的には、主人公が新しい恋を見つけることで、希望をほのめかす終わり方をすることが多い。おそらくそれが一般的に私たちの価値観に即しているからだろう。人はそうやって別れの悲しみを忘却の彼方へと運んでいくのである。そうすることでしか生きられないから。

夢の喪失もこれに似ている。夢が死んでしまったような場合は、新しい人生を歩むために、新しい夢を見つけるよりほかない。人間の心のキャパシティが限られているのには理由があるのだ。もしそのキャパシティが無限なら、人は喪失感から立ち直ることができない。テクノロジーによってこの部分を改善しようとすれば、必ず悲劇を招く。それは改悪でしかない。しかし幸か不幸か、今のところ対象の死は、あきらめるための大きなタイミングなのだ。

こうしてなんとかあきらめるタイミングを見定めたとしよう。はたしてそれですべてが完全に終わるのかどうか。

いや、そう簡単ではない。それでも人は最後の最後まで、あるいは最後のその後でさえも、あきらめきれずに足掻き続ける。

あきらめたくてもあきらめきれない

ファウストの悲劇の原因

あきらめきれないという言葉は、あきらめるという言葉と同頻度で使われているような気がする。そこにはあきらめるということの難しさが象徴されているといっていいだろう。

あきらめたくてもあきらめきれない。この言葉の響きはしかし、あきらめないことの美しさをもほのめかしているように思えてならない。「あきらめない」というのではなくて、「あきらめきれない」というのだから。あきらめてしまうことが完結できない、その余韻《よいん》のようなものを感じさせる表現である。

いや、いったんはあきらめたのだろう。少なくとも、もうあきらめようと決断したのだと思う。でも、最後の最後、本当にもう取り戻せない状況になる瞬間にまた立ち戻ってしまうのが、あきらめきれないという状態である。あるいは最後のその後もである。

あきらめきれないというのは、たとえば、真理を手に入れるために悪魔に魂を売ったファウストのごとく、死ぬことを決断し、自ら毒杯を仰ごうとしたその瞬間からの立ち戻りである。

メフィストフェレスと契約を交わした後のファウストは、もう元のファウストではない。だから一度は最期を迎えている。しかしその後のファウストもまたファウストであり、元々の願望を手放してはいない。あきらめきれていないのだ。宇宙の真理や生命の神秘を知るために、若返ることによって、そして大いなる力を手にすることによって、まったく別の人生を歩み直すのである。

なぜファウストはあきらめきれなかったのか？　多くの人は、夢への想いが強すぎたからだというだろう。しかし、私の見方は違う。ファウストは自分の思考の可能性を信じきれなかったのだ。

ファウストが、真理を知るという夢に異常なまでに執着していたのは確かだ。だがもし本当の意味で哲学を理解していたなら、そうした執着を乗り越えることができたに違いない。少なくとも哲学の可能性に賭けたはずだと思うのだ。

ファウストにはそれができなかった。哲学が執着を超克《ちょうこく》し、むしろファウストの望む以上の真理への扉を開いてくれるなどとは、ゆめゆめ思えなかったのである。ここにファウストの悲劇の原因があるように思えてならないのだ。

人は何かをあきらめる時、哲学する

このことは、ファウストが哲学を過小評価しているところからもうかがえる。皮肉にも『ファウスト』という作品における彼の最初のセリフには、哲学という言葉が出てくる。哲学を含め主要な学問をとことん研究したにもかかわらず、少しも利口になっていないと嘆くのだ。

さらにある学生と対話するシーンでは、このようなアドバイスをしている。

次には、何よりもまず、形而上学《けいじじょうがく》にとりかかるのだ。そうするとおよそ人間の頭ではわからんことでも、深遠な意味をつけて捉《つか》まえることができる。頭にはいることにも、はいらんことにも、立派な術語がちゃんとできあがっている。

（ゲーテ『ファウスト　第一部』相良守峯訳、岩波文庫）

ここでは形而上学は哲学と同義だといっていいが、つまり哲学は何やら理解できないことをそれっぽい言葉に置き換える営みだというのだ。ファウストにとって、哲学はその程度のものだったのだろう。このようなとらえ方では、いくら哲学を研究しても利口になるはずがない。

何かをあきらめる時、本来人は哲学することを余儀なくされる。自分にとってその対象はどういう意味を持つのか、その対象の本質とは何か、またあきらめるということの本質は何かというふうに哲学するのである。

その証拠に、改心したファウストは、おそらくは無意識のうちに哲学をしている。最後の第五幕で悪霊の憂愁と議論するファウストの態度は、あたかも哲学者のように映る。憂愁はあの手この手でファウストを惑わそうとする。あなたは物事を先延ばしにし続けて、何事も成就しないだとか、決して決断できないだとか。これに対してファウストは、ちゃんと認識したものはつかまえることができると強くいってのける。憂愁は立ち去らざるを得なくなるのだが、その際ファウストがきちんと物事を認識できなくなるように視力を奪い去る。

しかし哲学者となったファウストに、もはや視力は不要であった。本質は心の目でとらえるものであることを理解していたからだ。古代ギリシアの哲学者プラトンの説いた物事の本質であるイデア（idea）は、「見る」という動詞イデーン（idein）から派生したものであり、それは魂の目によって対象を見ることを意味していた。だからあきらめきることができたのだと思う。かくしてファウストは救済されるに至る。

この章では、あきらめるということがいかに困難か、そしてそれは単純に何かをやめてしまうことではないという点について論じてきた。とりわけ、あきらめることが人生を前に進ませるという点を強調してきたつもりだし、それは本書の最後においてさらに別の形で展開していくつもりである。

あれから数か月がたち、よくも悪くも人々はコロナ禍と共生し始めていた。自粛生活での読書の日々がきっかけで、歴史学者になる夢を再燃させた中田はどうなったかというと……。

「あなたー、ご飯よー」

「ちょっと待って。きりのいいところでね」

「また歴史書読んでるの？」

「いいじゃないか、趣味なんだから」

コロナ禍で新しい趣味を見つけた人は多い。もちろん昔やっていたことを再び始めた人も。中田にとって、歴史書を読むのはそんな趣味の一つになっていた。

歴史学者になる夢はあの原稿を読んでから、ひとまずはあきらめたようだ。

「正直ほっとしてる。結構本気っぽかったから」

中田の背中越しに亜紀がそういった。

「あきらめたわけじゃないんだけどね。心の整理がついたっていうか。一歩進んだんだよ、きっと」

「あなたがそれでいいならよかったけど」

「あきらめるってのはさ、必ずしも後ろ向きなことじゃないんだよね。逆に本当の自分を見るっていうかさ」

「なんかお坊さんみたいね」

「どちらかというと哲学者なんだけど」

「え？」

中田は自分が哲学悩み相談を受けたことを亜紀には内緒にしていた。そもそも占いに行きかけたなんていい出しにくかったし、何より心配をかけたくなかったからだ。あの時はたしかに精神的にも不安定になっていた。

「いや、哲学みたいなもんだってことだよ。人生は迷って、あきらめて、だから一歩進める」

こうして歴史書を趣味として読み続けることにした中田だが、まさかもう一度自分が迷うことになるとは思いもよらなかった。中田があの哲学悩み相談のブースを再び訪れる話は、また後ですることにしよう……。

第2章

ためらう

「俺さ、もう一つ新しい会社やろうと思ってて。お前とやりたいんだよね、スタートアップ」

その言葉が、何度も森隆司の頭の中をループしていた。森は食品メーカーに勤務して10年目。それなりに仕事も面白くなってきて、同期では一番早く主任に抜擢された。よくいえば安定、悪くいえば刺激のない人生。ただ、なかなか冒険することができない。

大学時代の友人、黒川雅博に声をかけられたのは、そんなある日のことだった。黒川の突然の申し出に、森はためらわざるを得なかった。

正直、スタートアップには興味があった。でも、常に無難な選択しかしてこなかった森にとって、ましてや順調にキャリアアップしている最中の誘いだっただけに、それはあまりにも大きな賭けに思えた。

「ま、すぐにとはいわないけど、ちょっと真面目に考えてみてくれよ」

黒川のいつもとは違う表情に、森は「一応考えてみるわ」と答えるのが精一杯だった。

翌日、森はスーパーに昼食の弁当を買いに出かけた。前日の夜久しぶりに飲みすぎたせいか、なんとなくまだ頭がぼうっとしていて、まるでどこかを彷徨《さまよ》っているかのような感覚がした。

それが関係しているかどうかはわからなかったが、スーパーの入り口付近で、いつもは目に入らないはずの占いのブースに気づいた。「こんなのあったっけ？」と思いながらもう一度目をやると、奥のブースには「哲学悩み相談」という看板が出ている。思わず立ち止まってしまった。

「あのう、よろしいですか？」

森が恐る恐るそのブースの中に入ると、小川はニコッと笑って答えた。

「もちろんです。どうぞどうぞ。どんなお悩みですか？」

小川に促されて、森は自分の置かれている状況について話し始めた。自分が安定した企業に勤めていて、順調にキャリアを積んでいること、ところが最近、突然友人に起業しないかと誘われたこと、人生最後の大きな冒険のチャンスだと感じるが、ためらっていることと……。

それまでじっと話を聞いていた小川は、森がひと息つくころを見計らって、急に大きく溜息をついた。

「僕、なんか変なことをいいました？」

「いやいや、違いますよ。あなたもやってみてください」

「え？」

「溜息です。すっきりしますよ」

森はいわれるがままに軽く溜息をついた。

「そうじゃなくて、もっと大きく」

小川の真剣な表情を見て、森は仕方なく今度は大きく溜息をついてみた。

「どうです？」

「たしかになんだか気持ちいいですね」

「そうなんですよ。よく溜息はついちゃいけないなんていわれますよね、まるでネガティブなことのように。でもね、これもまた人間の自然な営みなんですよね。悩んでいる時は、その状況を受け入れたほうがいい」

「ためらっていることをですか？」

森は話がよくわからないという感じでそう尋ねた。

「そう、まずはね。そうして初めて、事態を冷静にとらえることができる。人はためらったままではいられませんからね。ただ、ためらっていることを肯定しないと始まらないんです」

「そうかもしれません。僕はあまり悩むことなくやってきたので、今の事態が受け止められてないのかも。自分が選択に悩むっていう事態が」

「いいですねぇ。その調子ですよ。そうやって今度は今の自分、これからの自分をさまざまな面から見つめ直してみてください。哲学はね、視点を変えることが大事なんです。人生とか悩みを哲学する時も同じですよ」

「どんな視点があるのでしょうか?」

「それは自分次第ですよ。でもヒントを差し上げましょう。これね、私が今書いている本の一部なんですけど、ちょうど『ためらい』についての原稿なので、読んでみてください」

「はぁ、ありがとうございます」

そういって森は、半ば強引に渡された原稿を手に、また彷徨うように商店街の中を歩いていった。人生という森を彷徨う旅人みたいに……。

ためらわないと失敗する？

突き進むことはゴール・オア・クラッシュ

なぜ人はためらうのか？

決断できないから。皆そう思いがちだが、逆に決断しないほうがいいからかもしれない。もっというなら、ためらうほうが安全だということだ。

「ためらうことなく」

「なんのためらいもなしに」

こうした表現には、潔さを感じる半面、向こう見ずな危うさのようなものを感じざるを得ない。

ためらいもなくということは、そのまま突き進んでいくことである。そうすると、考える余裕さえ持てない。思考する生き物である人間にとって、ためらわないことがどれほど例外的で、危険な行為であるかはすぐに予測がつくのではないだろうか。

たとえば、目の前においしそうな料理がある。おなかがすいているからといって、何も考えずに、ためらうことなくその料理をむさぼってしまうとどうなるか？

それではまるで豚と同じである。ジブリアニメ『千と千尋の神隠し』で、食べ物をむさぼった千尋の親は、実際豚になってしまった。これは何かおかしいんじゃないかと疑い、考えた千尋だけが助かったのだ。

もちろんその後千尋はさまざまな危機を迎えるわけだが、それでもそのつどためらいを見せることで、そして考えることで危機を乗り越え、最終的には親を救い出し、元の世界へと戻っていく。

ためらいとは、思考の言い換えであるかのようにも思えてくる。ためらう時、人は頭の中で立ち止まっている。そしてああでもない、こうでもないと考えているのだ。それをすることなしに突き進めば、必ず失敗する。

ゴールに至るには近道かもしれないが、大事なものを見失ってしまうという点において、しっぺ返しを食らうのである。まるでゴールに突進していって、そのままクラッシュしてしまうレースカー、あるいは見切り発射で打ち上げて、すぐに爆発してしまうロケットのようになってしまう。

突き進むということは、オール・オア・ナッシング、というかゴール・オア・クラッシュなのだろう。

人生に置き換えるなら、がむしゃらに走ってきたという人が、ためらうことをしなかったために急にバーンアウトしたり、自殺してしまったりするようなものだ。

冷静にならないと考えられない

にもかかわらず、人は突き進む。なぜか？

きっと束の間の夢を見たいのではないだろうか。遠くにあるものはいつ手に入るかわからない。だから夢が夢で終わってしまう可能性がある。ところが、もしその夢がほんの一瞬でも手に入るとすれば、しかもいつ消えてしまうかもわからないとすればどうか。

その状況であれば突き進んでしまうのだろう。夢が手に入るチャンスだからだ。考えている余裕などない。これはためらわずに突き進むことのメリットともいえる。時にはそのほうがいい場合もあるだろう。

理由なく目の前に現れたおいしそうな料理は、また理由なく消えてしまうかもしれないから。誰のものかわからないが、その誰かを探しているうちに消えてしまっては意味がない。欲望の対象とは常にそんな儚《はかな》い存在だ。

誰もが幼いころから経験してきたことだ。もらえる時にもらっておかないと、後からやっぱり欲しかったといっても、もう手に入れることはできない。失敗を繰り返し、悔しい思いを繰り返しながら、人は欲望の対象を手に入れる術《すべ》を身につけていく。

もしかしたらそれは、DNAのように刷り込まれた生き物としての本能に根差すものかもしれない。獲物を捕らえるチャンスは一瞬である。命はそう簡単に手に入らない。その一瞬を逃せば今度は自分の命が危なくなる。やられるか、飢え死にするか。

だからたとえ束の間であったとしても、その夢を実現させようとするわけである。奇しくも束の間の「束」という単位は、手でつかんだ時、親指を除く指幅四本分程度の少なさというところから来ている。古代からある最小の単位のようだ。

人間にとっては、手でつかめるものが最小の単位であり、手に入れることのできる現実のサイズなのかもしれない。その意味で、つかめるとなれば、たとえそこにどんな危険が隠れていたとしても、その後どんなひどい目に遭うとしても、突き進むのだ。

とはいえ、危険やひどい目に遭うことが明らかであれば、よほど愚かな人以外は、さすがに突き進む人はいないだろう。ほとんどの賢明な人は、そこでためらう。思考することで、賢明な判断を下すのだ。その結果、危険が大きかったり、ひどい目に遭ったりすることが明らかなら、突き進むのをやめるだろう。あきらめるか、何かほかの選択肢を探すかだ。

そのためには、ためらう習慣を身につけておかねばならない。とっさに反応するためには、訓練が必要なのだ。これは怒りのコントロールに似ている。

古代ローマの哲学者セネカは、怒りが収まらないなら、それまで待てという。怒りが収まらないなら決定を延期せよというのだ。すると理性が起動し始める。そして自分と周囲をじっくりと観察するのだ。その状況において、自分はどうふるまうのが最適なのか、どうふるまうと破滅するのか。そうやって考えているうちに、怒っていたことすら忘れてしまう。

人間の感情とはそんなものだ。突然湧いて出る代わり、沸点を過ぎれば自然に収まっていく。

ためらいも同じなのだろう。突き進む前にいったん決定を延期するのだ。そして理性の援軍を待つ。人間というのは、冷静にならないと考えられない。

ただ、怒りを抑えるのとためらうのとが違うのはここからだ。怒りの場合は抑えられればそれでいい。でも、ためらいの場合は、冷静になってから初めて開始することになる。

そのプロセスは割と複雑である。

ほとんどの人は意識して考えたことはないかもしれない。だからこそ一度考えてみてもらいたい。人はどのようにためらうのか。つまりは、あなたはどのようにためらっているのか。

立ち止まるところから始まる

一歩踏み出す決心がつかない

見知らぬ森を歩いていたとしよう。突然目の前に分かれ道が現れたら、あなたはどうするだろうか？　どちらの道を行けばいいのか考えるのではないだろうか。そのためにまずすることは何か？

それは立ち止まることである。どちらの道を行くか決めていないのだから、立ち止まるよりほかない。この瞬間、人はためらいの森に迷い込む。

さて、思考開始である。あるいは試行開始か。いずれにしても情報が必要だ。普段は思考の材料も道具も頭の中にあるかもしれない。でも、こういう時は外部から情報を得ないことには、正しい判断はできない。だから周囲を観察することになる。

どっちの道のほうが安全か、人の通った形跡があるのはどっちか、自分の行きたいところにつながっているのはどっちか……。

それで簡単に答えが出るならいい。でも、どちらともいえない場合はどうすればいいのか。

もうおわかりかと思うが、これは森で道に迷った場合の話ではない。人生の岐路に立たされた時の話だ。生きるということは、見ず知らずの森を歩いていくのに似ている。

どちらに行くべきかわからなくなってしまった時、人はその場で逡巡《しゅんじゅん》する。巡という字がよく示しているように、その場をグルグルと回って尻込みしてしまうのだ。逡巡するというのはそういう状況をいう。物理的にもグルグルと動き回るのかもしれないが、主に頭の中でグルグルと同じことを考えて、袋小路に入り込むイメージである。

逡巡に似てはいるが、まったく異なる状況が躊躇《ちゅうちょ》である。心の中ではあっちの道のほうがいいと一応の判断はついているのだが、まだ決断するには至らず立ち止まっている状況である。躊躇というのは文字通り、どちらの字にも足が付いているように、あと一歩を踏み出せないでいるのだ。足が止まってしまっている。

ためらうというのは、漢字で書くと「躊躇う」というふうに、この字を用いることになる。だから本来のためらいは、まったくの白紙状態ではなく、あくまで何かを決めてはいるのだが、決心がつかないでいる状態をいうのだろう。

足が出ないなら手を動かせばいい

方向は決まっているのに、どうしても足が出ない。そんな時どうすればいいか？足がダメなら手を使うというのはどうか。たとえば藻掻く。掻という字には手が入っている。あたかも藻を掻くようにじたばたする様子が目に浮かぶ。実際には藻掻く時は手だけじゃないのだろうが、いずれにしても足が動かないなら、せめて手を振り回せばいいのだ。

それでは一歩も進まないと思うかもしれないが、人間の身体というのは面白いことにすべてつながっている。身体の一部を意識的に酷使した翌日、なぜか全然関係のない箇所が筋肉痛になったりした経験があるはずだ。手を振り回していれば、自然と足にも気持ちが伝わるものなのだ。嘘だと思うなら、試しにやってみるといい。

フランスの哲学者メルロ＝ポンティも身体から意識への働きかけを説いていた。普通は意識が身体を動かすと考えるが、彼はその反対のことを唱えた。身体が先に反応し、それが意識に影響を与えることもあるというのだ。

メルロ＝ポンティの説を応用するなら、身体から意識へ、そしてまた別の身体の部位へと影響を与えることは可能なはずだ。足がすくむ時、怖いから足がすくんでいるわけだから、頭で考えても無駄だ。それなら手を動かせばいい。そして脳に信号を送るのだ。「私は今動きたい」と信号を送れば自然に足が動き出す。

それさえできない状況なら、もっと別の手の使い方もある。把握することだ。こちらはどちらの字にも手が入っている。把握とはもともと手を使って行っていたのだろう。

つかんで確かめる。原始的な人間でさえそうしていたのだと思う。高度な思考をするようになってからも、やはり人はつかんで確かめてきた。

たとえばドイツ語では概念のことをBegriffというが、この語は把握するという意味のbegreifenと無関係ではない。つかんで、概念化するのである。

ドイツには森がたくさんある。だからドイツの哲学者たちは、あの深い森で思索を重ねてきたのだ。ドイツの思想は深い森に喩えられることさえある。

実際、森を歩いて思索している時、道に迷うようなこともあっただろう。そんな時は、まず状況を正確に把握しようと努めていたはずだ。それが数多くの優れた概念を生み出す結果につながったのだと推察される。

たとえばドイツ観念論の頂点に立ったといわれる哲学者ヘーゲルは、まさに概念を生み出すこと、つまりは事物の本質の把握こそを哲学の根幹に据えていたといっていいだろう。真理はそのようにして発見されてきたのである。

こうして見てみると、ためらいを突き抜けるための手段としての把握は、真理へと向かうためのプロセスとして、むしろ不可欠なものであるかのように思えてくる。

慌ててはいけない。迷った時こそ状況の把握に努めなければならない。その営みが、その一見無駄に思える時間が、かえって真理への距離を縮めてくれるのだ。

正しい判断には無駄が必要だ。ここでためらいのもう一つの意義に目を向けることが可能になる。それは溜めることである。

自然も人間も溜めることが必要

ためらう＝溜める＋さすらう

物事には溜めが必要だという。溜めとは、時間をかけて一定の場所に留めておくことをいう。

溜池、溜まり場、肥溜め、溜息……。

溜の字が付く言葉は、いいものも悪いものも含めて、いずれも溜めるということがポイントだろう。

なぜ溜めることが大事なのか。溜めることによって蓄積されるものがあるからだ。醸成されるといってもいい。そこでは時間がゆっくりと流れる。

溜池を例に考えてみよう。普通の池は自然のリズムの中に存在する。山も川もそうだ。人間もまた自然のリズムの中で生活している。と同時に、人間は非自然的な存在でもある。だから自然を加工して、農業という形で取り込んでしまう。

ただ、農業には水が不可欠で、自然のリズムばかりに合わせていては、成り立たない時もある。そんな時、水を蓄えておけば困ることはない。それが溜池という発想なのである。だから溜池は、自然の時間の流れとは違うところで存在するのだ。そういう知恵なのだ。

そのまま自然に任せていてはうまくいかない、問題が生じるといった時に、別の時間を作り出す。そしてそこでゆっくりと時機を待つ。それが溜池のレゾンデートル（存在意義）にほかならない。

そんなことを考えていると、ためらうというのは、もしかしたら「溜めらう」ことではないかとさえ思えてくる。溜めるという行為と、「らう」、つまりさすらうような行為との組み合わせである。

溜めながらも、うろうろとさすらうのである。じっとしているわけではない。それだと溜める行為そのものになってしまう。視覚的なイメージでいうと、溜息をつきながらあてどなくうろつく感じである。

どうだろう、「溜めらう」雰囲気が想像できるだろうか。たとえば、決断できず、酒を飲み、酔ったままあてどなく彷徨う姿……。

みじめな姿なのに、なぜか共感してしまう。人が悩むシーンを描く時、映画やドラマでよくこんな場面が使われる。だからついイメージしてしまうのかもしれないが、逆にいうと誰しもそんなふうにして彷徨った経験に心当たりがあるのかもしれない。そういう時は酔っていることもあって、たいてい千鳥足だ。まっすぐになんて歩けない。突き進むのとは１８０度異なる。そこがまたいいのだ。悩んでいるのにまっすぐ行けるわけがないからだ。

ふらつく自分の身体と心がシンクロするのだろう。思考ともシンクロしているかもしれない。彷徨うことを英語で wander というが、この語には考えが横道にそれるという意味もある。右へ左へと考えが横道にそれることで、思考実験が可能になるのだと思う。

ふらふらするほうが自分にプラスになる

溜めるというのは、受動的に受け入れるだけではない。人が何かを溜める時には、ああでもない、こうでもない、ああすればどうなる、こうすればどうなるというふうに、ふらふらといろいろなものに目を向けているのだ。

思考を溜めるといってもいいだろう。そもそも思考実験の場とはそういう場だ。いろいろなことを想定して、頭にストックしておく。すぐにはそれが答えになるかどうかはわからないが、考えたことがどこかで役に立つことがあるのだ。

私も若いころは、いろいろなことに手を出してはやめてを繰り返してきた。周囲からは「ふらふらして」と非難されたものだ。もちろん、若かったので時間もたっぷりあったのだろう。でも、それだけではないような気がする。その後の人生をより善く生きていくために、きっと思考実験をして、その結果を頭に溜めてきたんだと思う。

年を取ると、次第にそんな余裕はなくなっていった。物事に注げるエネルギーにも限界があるのだと思う。一つのことをやるだけで精一杯だ。そうするともう彷徨わなくなり、必然的に「溜めらう」こともなくなってしまった。

いや、その一つのことでさえ、全力でやることができない。若いころはしょっちゅう限界まで自分を追い込んでいたような気がする。そうして身も心もふらふらになっていた。でも、今はもうそこまで自分を追い込むことはない。もう溜められなくなっているのだ。

溜められないのは、自分にとってマイナスだ。時間的余裕もなくなり、あくせく生きていくだけ。すると必然的に考えることもなくなってしまって、気づけば後悔ばかりが残る。

そうならないようにするためには、あえてふらつくことである。周囲からは非難されるかもしれないが、そんなことにかまっていては自分が損をする。

「溜めらう」のは自分のためなのだ。正確にいうと、これからの自分のためだ。人からとやかくいわれる筋合いはない。

人生はとかくまっすぐな一本道だと思われがちだし、そういう生き方が推奨されるけれども、それは他者にとってそのほうが都合がいいからにすぎない。

人生は自分のためにある。そして自分のためには、まっすぐな一本道よりも、ふらふらと「溜めらう」ことのできるいい加減な道のほうがプラスになるのだ。

問題は、この世が必ずしも自分のためだけにあるのではない点だ。人のためにためらい、人のために生きる人生については別途考える必要がある。

ためらいは「多面らい」

他者の「ため」にためらう

もし人生が自分だけのものなら、ためらう機会はうんと減るのではないだろうか。私たちは誰かのために、愛する人のために、守るべき人のために、恩のある人のために生きているという側面がある。

ためらうの「ため」は誰かのためを意味するのかもしれない。つまり利他的行為なのだ。自分一人なら、迷わず好きなほうを選ぶことができるだろう。どんなリスクがあっても自業自得だ。だが、人を巻き込むわけにはいかない。ましてや誰かを苦しめるとなると、簡単には決められなくなる。

そう、誰かの視線を感じた瞬間から、ためらいは始まるのだ。自分以外の他者の目。その時ためらいは「他目らい」になる。他者とは自分が責任を負いきれない存在だといってもいいだろう。

責任を負えといわれることはあっても、究極的には自分ではないのだからそれは不可能だ。ある程度の責任は負えても、完全に負うことはできない。完全に責任を負ったら、自分がその他者になってしまうことを意味する。だから責任を負いきれないがゆえにためらいが生じるのだ。

恋愛関係を見ればわかる。平安時代の稀代のプレイボーイと称される在原業平《ありわらのなりひら》。叶わぬ恋への心情を、歌という形で昇華させていった『伊勢物語』の主人公である。

業平の人生を小説として描いた髙樹のぶ子は、そんな彼の態度を、「みやび」と表現する。みやびとは、未知のものを謙虚に畏《おそ》れ、突き詰めていかない態度やふるまいをいうとしている。それはためらいの肯定でもあるのだ。

たとえ一夜を共にしても、身分の違いを超えて結ばれることはない。当時はそういう時代だ。たとえば、国母《こくも》となり遠くに行ってしまった藤原高子《たかいこ》との悲恋。それ以上望んでも、責任を負いきれない。だから業平はためらいを歌にして詠むよりほかなかったのだ。それはしかし、ためらいを否定することではなく、歌という形で肯定する営みにほかならなかった。

月やあらぬ春や昔の春ならぬ　わが身一つはもとの身にして

（『新版　伊勢物語　付現代語訳』石田穣二訳注、角川ソフィア文庫）

何も変わらぬ月や春のはずなのに、自分だけがまだあの人のことを想い続けている。そのせいで月や春が昔とは違ってしまったように見えるというのだ。

歌は歌になることで、時間の部屋の中に永遠に閉じ込められてしまう。この業平の歌もまた、平安時代のある時、どこかの場所のどこかの部屋で詠まれ、そこに閉じ込められてしまったのだろう。そうして今なお、決して消えることなく、現代の私たちにためらいを伝えてくれている。

このようにためらいには、利他的な側面もあるわけだが、もしかしたらそれにとどまらないもっと多面的な側面があるように思われる。ためらいはまた「多面らい」でもあるのだ。

世の中の「ため」にためらう

先ほどは他者のためにためらうという話をしたが、世の中のためにためらうということもあるのではないだろうか。環境を守るために欲求を抑える、青少年への刺激に鑑み表現を変える、次世代のために我慢する。そういったこともまた、ためらいの動機になるはずだ。

広い意味では他者なのかもしれないが、環境となると動植物あるいは地球そのものも入ってくるだろう。それに見知らぬ人たち、とりわけ未だ存在しない将来世代となると、他者とは異なる視点が求められる。

それはもう誰か他者のためにすることではなくて、かといって自分のためでもないのだから、非利己的行為とでもいうよりほかない。世の中のためにためらうというのは、非利己的行為なのだ。

それは自分という存在が、多面性を有していることの言い換えでもあるのだろう。自分は自分のために生きると同時に、誰かのためにも生きている。そしてまた、生態系の一部でもあり、歴史の中の一部でもある。そんな多面性に応じて、まさに多面的なためらいが生じうるのだ。

時間的、空間的に規定されて初めて具象化する人間。自分以外の周りを変えていくことでしか存在し得ない人間。ゆえに私たちは、生の歩みを進めようとするごとに、ためらいを迫られる。人間とはそういう実存的存在なのだ。

だからこそ実存主義のはしりとされるデンマークの哲学者キルケゴールは、「あれか、これか」という象徴的な言葉とともに、ためらいから抜け出すための思想を樹立することになったのではなかろうか。それは選択の思想だといってもいい。

人生は選べることに意味がある

何を選ぶかよりどう選ぶか

「どちらにしようかな、天の神様のいう通り」

子どものころ、そうやってよく物事を選んできた。自分では選べない時、自分で選ぶことにあまり意味がない時、人は神に選択を委《ゆだ》ねる。その時選択は宣託となる。神のお告げである。

だが本当は、すべての選択は宣託なのかもしれない。多くの場合、私たちは自分で物事を選んでいると思っている。本当にそうだろうか？　実は大きな力によって選ばされているのではないだろうか？

そう考えるのが、「決定論」と呼ばれる議論である。すべては神の摂理や宇宙の物理原則によって決められているというものの見方だ。

今私がこの文章を書くことも、あたかもある星が生まれ、消えていくように、宇宙誕生の瞬間から決まっていたのかもしれない。ただ、私が今実際に意志を持って、この文章を書こうと思っていることだけは事実である。その意味では、私には自由意志があるのであって、そこまで決められていたわけではない。このような考え方は「軟らかい決定論」などと呼ばれる。

いずれにしても、仮にそれがお釈迦様の目から見たら、掌の上を右往左往していたにすぎない孫悟空のごとく、すべてお見通しのことであったとしても、人間が意志に基づいて選んでいるのは確かなのだ。

それでもいいではないか。選ぶことはそれだけで楽しい営みだからだ。選択肢があること自体、人生を豊かにする。

もし何も選べなかったとしたらどうだろう？　そんなつまらない人生はない。

結婚式の引き出物などでも、昨今はセレクトカタログを送ることが増えている。不要なものをもらうくらいなら、自分で選べるほうが喜ばれるからだ。

英語の select はそうやって楽しく選ぶこと、少なくとも気楽に選ぶことを意味する。同じ「選択する」でも choose とはまったく異なるニュアンスを有している語だ。だからこの場合は「千択する」と表記してはどうかと思うくらいである。

千はたくさんの選択肢があることの象徴だ。あたかもセレクトカタログのように、並列的な、同価値の数多くの選択肢の中から、気に入ったものを選ぶということである。

これに対して choose のほうはもっと重い選択をする時にも用いられる。人生の選択といってもいいだろう。結婚相手を選ぶとか、延命治療を選ぶかどうかとか、国家のあり方を選ぶとかいう次元だ。だからこの場合は「洗濯する」と表記してはどうか。

多少歴史に明るい方ならピンと来たかもしれない。そう、坂本龍馬が「日本を今一度、洗濯いたし申し候」といった時の洗濯である。彼は幕末にあって、日本を刷新するという意味で比喩的にこの言葉を使ったのだろうが、実際にはその後の日本のあり方を選択する結果につながった。

select は千択で、choose は洗濯なのだ。そしてこの対比は、何を選ぶかというよりも、どう選ぶかということに比重が置かれている。実は選ぶという営みの真の意味はここにある。

なにゆえに人は選ぶのか、それは結果ではなく、プロセスなのだ。結果だけが大切だというのなら、選ぶ必要はないだろう。

「あれも、これも」より「あれか、これか」

選ぶプロセスにおいて悩むことが、人生に意味をもたらす。そのことを最初に理論として示した人物が、キルケゴールであった。キルケゴールの最初の作品『あれか、これか』には、その悩みがストレートに示されている。

夢を追うだけの審美的な人生と、現実に根を下ろした倫理的な人生のいずれがいいのか。その選択を描く中で、むしろキルケゴールが強調したかったのは、選ぶという行為に真摯《しんし》に向き合うことの意義であった。

なぜなら、人は選択に向き合う時、エネルギーや情熱を注ぎ込むからである。そうして初めて、人は主体的に生きることができるのだ。

キルケゴールの思想の対極にある「あれも、これも」という態度では、エネルギーを注ぎ込むことはできない。

ここでキルケゴールは、当時の主流の哲学であったヘーゲルの論理を批判している。ヘーゲルの弁証法は、切り捨てることをあきらめない、まさに「あれも、これも」の哲学だからだ。切り捨てることをあきらめないというと、よく聞こえるかもしれないが、裏を返すとそれは選択から逃げているともいえるのである。

後にキルケゴールは、ヘーゲル的な客観的真理を乗り越えるべく、「主体的真理」という概念を生み出し、それこそを自らの哲学の根幹に据えることになる。20世紀、フランスの哲学者サルトルらによって完成を見ることになる「実存主義」の誕生である。

キルケゴールのいう主体的真理、つまり自分にとっての真理を突き詰めると、それはもはや何ものにも制約されることのない自由な生き方を可能にする。サルトルが唱えた実存主義は、「無神論的実存主義」とも呼ばれるように、神の制約さえものともしない。すべては自分に委ねられるのだ。

だから実存主義とは選ぶことであり、選ぶという営みに向き合うことにほかならない。人間の態度が無数にあるのに応じて、選ぶという営みの種類も無数に存在する。

次章以降で展開する「捨てる」、あるいは「降りる」という選び方はその一つにすぎない。しかし、これらはほかの選び方とは異なる特別さを備えているのも間違いない。

何がどう特別なのか。まずは捨てられるものの立場になって考えてみたい。

森はあの日彷徨いながら哲学悩み相談のブースを後にしたが、その後小川から手渡された原稿を読み、人生の森から抜け出したような気分になった。

しかしだ。一歩踏み出すべきかどうか。安定した会社を辞めるのは大きな決断だ。だからいざとなるとどうしても足がすくんでしまう。昨日は心を決めたのに、今日になると身体が動かないのだ。

「小川さんならこんな時なんていうかなぁ」

仕事帰りの電車内で、森はそうつぶやきながら、あの原稿をもう一度パラパラとめくってみた。何か所か線が引いてある。森が自分で引いた線だ。その箇所を読んでいく。

すると森は、何かを思い出したかのように突然途中の駅で降りた。そしておもむろにスマホをつかみ、ある場所に向かった。

「もしもし、黒川？」

「おお、森か。考えてみてくれたか？」

「いろいろ考えたんだけど……」

「わかってるよ。やっぱやめとくだろ？」

「いや、よろしく頼むわ」

森の返答に、黒川は驚きを隠せなかった。

「まじで？　すごくうれしいけど、どんな心境の変化があったんだ？」

「電話で話すと長くなるんだけど、哲学的に考えたというか」

「はぁ？　哲学的？　わかった、今から話聞くわ。飲みに行くぞ」

「もう店で先にやってるよ」

そういって森は電話しながら軽く右手を上げ、店員を呼んだ。

人生は「あれか、これか」だ。十分ためらった後は、しっかり溜息をついて、そして前に進まなければならない。自分なりに学んだことだ。

ビールが運ばれてきた。森はひと口飲もうとしたが、ふと手を止めてまずネクタイを外した。

これからの人生には多くの選択が押し寄せることだろう。でも、きっとうまく生きていけるに違いない。自分の手でネクタイを外したのだから……。

第3章

捨てる

「由美、なんかすごいLINE来てるよ。マー君からじゃないの？」

「後でいいの。せっかくのランチタイムだし」

大手商社の総合職として働く寺沢由美にとって、同僚の上田奈々とのランチタイムは束の間の休息だ。しかし、LINEに反応しないのには別の理由があった。由美は3年前合コンで知り合ったマー君こと長門将司と、この1週間ほど冷却期間を置いていたのだった。

「ていうかね……マー君がさ、転勤になるの」

「え、海外かどこか？」

「まさか。東北よ」

「そうよね。あんたたち、格差カップルだもんね。男のほうは中小企業の営業マン。顔はいいけどね」

奈々が冗談っぽくいうのを由美は真顔で返す。

「顔だけで3年も付き合っていないわよ。30歳を目の前にして遠距離恋愛を続ける自信がないのよね。しかも5年は行くらしいし……潮時かな」

「男を捨てるってこと？」

「他人事だと思って簡単にいわないでよ」

その日由美は定時に退社し、スーパーに寄って帰った。総菜とビールを買った。一流商社で華々しく働いていても、一人暮らしの日常は学生時代とあまり変わらない。

ふとスーパーの入り口の前にある占いのブースが目に留まった。占いは昔から興味があったので、以前にも何度か見てもらったことがあった。奥のブースに「哲学悩み相談」という文字が見える。そっちは初めて見かける看板だった。

興味をそそられて近くに寄ってみると、そのブースの中から小川が出てきた。

「よかったらどうぞ。占いはよく来られるんですか？」

「ええ、何度か……」

「哲学悩み相談は？」

「初めてです」

「そうでしょうね。ここでしかやっていませんから」

小川が冗談ぽくいうので、由美は少し打ち解けたような気になった。誘われるままに中に入り、話し始めた。彼氏とのなれそめからこの3年の間に起こった主な出来事、そして今回の彼氏の転勤のこと……。

「私はまだ今みたいに、仕事もプライベートも両方大事にしたいと思ってて」

由美がひとしきり話すと、小川が話を確認するように尋ねてきた。

「つまりあなたはこのまま彼氏と遠距離恋愛で付き合っていくか、すっぱり別れるか悩んでいるということですね」

「……そうなんです」

「何が一番ひっかかってるんですか？」

「彼氏を捨てることですかねぇ」

「なるほど。その表現がポイントですね。普通は彼氏と別れるというところですが、あなたは彼氏を捨てるという」

「あ、失礼ですよね。ちょうど今日友人とそういう感じで話していたのでつい」

由美は自分の顔が少し赤くなるのを感じた。なんだか急に恥ずかしい気持ちになったのだ。格差カップルといわれ、日ごろ自分のほうがマウントをとっていたので、そういう表現が当たり前になっていたのだ。

「大丈夫ですよ。あなたにとっては大事なものを捨てるかどうかの問題だということですから。捨てるというのはね、決して悪いことじゃないんですよ。哲学に『捨象《しゃしょう》』という言葉があります。本質を探るために余分なものを捨てていくことです。つまり、捨てることは大事なものを見つける行為でもあるわけです」

「まぁそうともとれるかもしれませんね。残ったほうが大事なものになるということは」

「そう。だからそんなに苦しむんじゃなくて、もっと楽になると思ったほうがいいんじゃないでしょうか。人生に別れはつきものですから」

「別れたほうがいいってことですか？」

「占いと違って、どっちがいいとか私からいうことはないんです。それはご自身で考えていただくとして、私はその手助けをするだけです。あ、そのためにもぜひこれを読んでみてください。『捨てる』ことについて書いています。本の一部なんですけど」

そういって小川は自分の原稿を手渡した。

その晩由美はビールを片手に、その原稿を読み始めた。未読のまま溜まっていくLINEの通知に時折目をやりながら……。

捨てることは悪いことではない

捨てると自由になる

村上春樹は『猫を棄てる　父親について語るとき』（文藝春秋）の中で、猫を捨てに行った記憶について書いている。ちなみに村上は「棄てる」と表記しているが、ここでは「捨てる」で統一したい。棄てるのほうが所有していたものを捨てるニュアンスが強いともいわれるが、あくまでニュアンスの違いというふうに整理しておく。

そう、村上は子どものころ、父親と一緒に飼い猫を捨てに行ったことがあるらしい。ところが、その猫は自分たちより先回りして、家に戻っていたというのだ。その時父親が見せたほっとしたような表情が印象的だったらしい。

結局猫は捨てられずに済んだ。そこから村上は、父親の安堵の表情の背景に、養子にやられそうになった父親の個人的経験や、戦争体験があったのではないかと推測している。あの戦争では、遠い戦地で、兵士たちも見捨てられたのだ。

私たちは捨てるという言葉を人間を主体にして使うことが多い。だから対象は物であるかのように思いがちだ。でも、人間も対象になりうる。猫を捨てるかのように、幼い子どもを捨てる親もいる。反対に、年老いた親を捨てる子もいる。

昔は口減らしのために人間を捨てることが横行していた。人権意識の高まりによってそのような行為が少なくなり、てっきり捨てる対象は物だと思い込むようになってきただけなのかもしれない。だが、人間も捨てられるのだ。

考えてみれば、会社が社員をクビにするのも捨てるということだろう。社会保障費の削減を弱者の切り捨てなどというが、これもまた人間を捨てる例だといえる。いわば人間を捨てる行為は、人を人と思わないような営みなのだ。捨てられたほうは、すべてを失ってしまう。捨てるという行為が否定的に受け止められてきたのは、そうした理由からだろう。

ところがである。すべてを失うということは、苦しいことやつらいことも失うことを意味する。奴隷が捨てられると、生活の糧《かて》を失うが、代わりに自由を得る。占領されている国が捨てられると、人々は圧政から解放され、平穏を取り戻す。虐待されている子どもが親に捨てられると、暴力から逃れられる。

捨てられることには、そういった救いのようなものが芽生える可能性も内包しているのだ。

そして同じことは捨てる側にも生じうる。物を捨てたらすっきりしたという経験はないだろうか。苦しみの原因を捨てたことで肩の荷が下りたとか、自分を苦しめる人を捨てることで自由を感じたということはないだろうか。

対象が何であれ、捨てるということには、そうした救いをもたらす作用があるのだ。

捨象なくして思考できない

人間がかかわると、それが捨てる主体であれ、対象であれ、その両方であれ、どうしても否定的に考えてしまうのはよくわかる。でも、ここでは捨てるという行為の奥にある、それがもたらす本質に目を向ける必要がある。

そのために、あえて人間の主観を取り除き、対象の関係だけでこの事態をとらえてもらいたい。これはアメリカの哲学者グレアム・ハーマンが提唱する、「オブジェクト指向存在論（Object-Oriented Ontology）」という考え方である。

ハーマンはオブジェクト、まさに対象という言葉を使う。対象の意味は、それぞれの対象同士の関係性によって決まってくるというのである。そこには主観は存在しない。物と物はもちろんのこと、人間と物、人間同士であっても、互いの意味は両者の関係性によって決まってくるというわけである。

たしかにそうだ。私は娘や息子との関係では父親という意味を持つ。学生との関係では先生という意味を持つ。それは私たちの主観にかかわるものではない。そうすると、その両者の間で何か行為が行われたとしても、あたかも二つの対象の間で、精神的なものの移動も含めて、物事の移動があったかのようにとらえることが可能ではなかろうか。

仮に捨てるという行為が誰かと誰かの間で起こったとしても、それはその関係性の中で何かが移動するだけのことである。主人と奴隷の間で捨てるという行為が起こったとすれば、主人は奴隷を失い、奴隷は主人を失う。そして主人は奴隷を食べさせる必要がなくなり、奴隷は労働から解放される。主人は負担がなくなり、奴隷は自由を得る。そういう物質と精神との移動が生じるのである。

倫理的側面ばかりに目を奪われていると、捨てるという行為がもたらす種々の作用、変化を見落とすことになってしまうように思えてならない。

そもそも捨てるという概念自体は、価値中立的なものである。哲学の世界においてはとくにそうだ。捨象なくして思考することは不可能なのだから。

このように、捨てるという行為には、さまざまな肯定的な側面があることが見えてきた。

捨てることによってあきらめがつくのは、そうした理由からかもしれない。

結論を急ぐ前に、まずは捨てる行為の対極にあるとされる、拾うという行為の意義について考察してみたい。

捨てることと拾うことの関係

捨てる先に拾うがある

「捨てる神あれば拾う神あり」

これまでに何度この諺《ことわざ》を耳にしたことか。それだけこの世の真理を突いているということなのだろう。人間の行為をある視点から極端に二分するなら、捨てると拾うだけになってしまうといってもいい。

人間とは捨てては拾う、あるいは拾っては捨てる生き物なのだ。生物の仕組み自体がそうなっている。食べては排泄し、排泄してはまた食べる。その繰り返しで生命を保っている。ほかの生物と人間が違うのは、必ずしも生命維持に必要なものでなくても、自らの関心に応じて、わざわざ拾ったり捨てたりするところだ。

拾う行為とは、落ちているもの、埋もれているものをわざわざ取り上げるということである。だから生命維持に関係なければ、別に素通りしてもいい。にもかかわらず、拾おうとすることに意味がある。

ここでわかるのは、まず捨てることが拾うことに先立っている点だろう。私たちは捨てられているものを拾うのだ。それは誰かが捨てたというだけでなく、自然が捨てたもの、いわば落ち葉や落下物も含まれる。根の生えた草花を拾うとはいわないように、地面にあるものすべてではない。

拾うとはそういう捨てられているものをわざわざ得ようとする行為なのだ。なぜか？そこに価値を見出そうとするからだ。たとえ好奇心からだとしても、その先には何か価値があると思っているのだろう。

それによって実際に得をすることが多い。だから人は拾うのだ。何もなかったところから、無償で価値あるものが手に入るなら儲けものだ。しかも、ただ腰をかがめて手を伸ばすだけで。

フランスの画家ミレーの名画『落穂拾い』は、収穫の後落ちて散らばっている穀物の穂を拾う女性たちの姿を描いたものである。ここには聖書のメッセージが込められているという。つまり、貧者への施しを象徴しているというのだ。

実際、落穂拾いをするのは、貧しい者たちだったらしい。そんな女性たちも、腰をかがめ、手を伸ばすだけで得をすることができた。それは神からの教えでもあったということだ。

「捨てる神あれば拾う神あり」とは、本当は「神は捨てることも拾うことも必要だと説いた」ではないだろうか。拾う神という表現は、拾ってくれる存在への感謝を込めたものだと解せなくもないが、では捨てる神はどう説明すればいいのか。だから私は、神は捨てることも拾うことも必要だと説いたという意味に解してみたわけである。

拾い続けることはできない

もう少し詳しく説明しよう。基本的に拾うとは欲を満たす行為である。それに対して、捨てるとは欲をなくす行為であるといえるだろう。そしてこれらは両方うまくバランスをとらないと、うまく生きていけない。

「わらしべ長者」を例にとるとよくわかるだろう。主人公の男は、藁《わら》を拾って、それを次々によりよいものと交換していったから、最後は長者になれたと思われている。だから拾うことは成功につながると感じるかもしれない。

しかし、物語をよく見てみると、男は藁を拾った後は、実は捨て続けているのだ。欲を捨て続けているということである。最初に藁と蜜柑を交換したのも、泣く子の親にせがまれてやむなくやったことである。男は藁を捨てたのだ。

その後、反物を手に入れた時も、馬を手に入れた時も、屋敷を手に入れた時でさえも、常に相手にせがまれてやったのだ。最初こそ欲を持って拾ったが、後は欲を忘れ捨て続けた結果、男は大金持ちになった。

どうだろうか？　捨てることと拾うこと、その両方をやりなさいという神の教えを理解していただけただろうか。

拾うと得をするのはわかりきっている。でも、拾い続けるとどうなるか？　物に溢《あふ》れ、身動きがとれなくなるかもしれない。何より、あれも欲しいこれも欲しいということになり、きりがなくなる。挙句の果てには、欲しいものが手に入らなくなって苦しむことさえあるかもしれない。

人間は拾い続けることはできないのだ。いや、それ以上に捨てることに大きな利点があるに違いない。先ほど神は拾うことも捨てることも必要だと説いたといったが、どちらを重視していたかと問われれば、おそらく捨てるほうだと思う。

仏教やイスラームなど少なくない宗教に、「喜捨《きしゃ》」という概念がある。進んで寄付をすることだ。捨てることで幸せになると説いているのである。

いったいなぜそうなるのか。捨てることと、得をすること、幸せになることにはどのような関係があるのだろうか。

捨てることで残るもの

希望とは断念すること

「損切り」という言葉がある。株式投資などで、もうそれ以上損しないように、損失を確定させる行為のことだ。ギャンブルでも負けが込んできたなと思った時、いいタイミングで損切りできる人が長く続けられる。そして最後には勝つのだ。その意味で、捨てることで得をする一つの形態だといっていい。

人生もこれに似ている。勝ち続けることはできないが、うまく負けておけば、トータルとしては損をしないように思うのだ。これは得をするというより、マイナスにしない発想である。よく「これで済んでよかった」などという。あれはまさに損切りの発想だ。深みにはまると大けがをする可能性があるからだ。授業料になぞらえることもある。高い授業料を払ったというのは、決してお金のことではなくて、犠牲を払いつつもなんとか耐えられる程度の損失でとどめ、かつ教訓を得たということを意味する。だから授業料なのだ。

もっと積極的に得をすることを目指して捨てるのが、断念である。哲学者の三木清が、希望とは断念することであると喝破《かっぱ》したように、捨てることでかえって希望を手にすることができるのだ。

これは逆説的にも聞こえるが、考えてみればもっともなことである。人は何もかもを手に入れることはできない。時間も予算もエネルギーも限られている。だからほかのことを捨てなければならないのだ。

本当にやりたいこと、実現したいことに絞る。だから断念が希望につながるのである。それは可能性を高めることだといってもいい。捨てることは可能性を高めるのである。本当に欲しいものを手に入れるためなら、それほどでもないものを捨てる覚悟が必要なのだ。

三木自身、戦前思想犯として拘留《こうりゅう》され、何もできなくなってしまった。そんな中で、この希望について考えをめぐらせたのだ。すべてを断念すればきっと最後に、本当に自分が求めるものが残るはずだと。おそらく三木にとってそれは哲学することだったに違いない。だから断念は、一番欲しいものに気づくための通過儀礼なのかもしれない。

捨てられる人だけが得をする

もし10個欲しいものがあったとしよう。そのうち、一番欲しいものを手に入れられる代わりに、残りの9個を捨てなければならないといわれたらどうするだろうか？　これは「肉を切らせて骨を断つ」という諺に似ているようにも思える。

昔から「損して得取れ」というが、小さな損のおかげで大きな得をするなら、あえて損をしたほうがいい。いわば実を取るために、どうでもいいものは捨てたほうがいいのだ。

中には、あえて小さな運を捨てることで、大きな運にめぐり逢うことを求めている人さえいる。苦労を買って出るというように、わざと不運な目に遭っておくのだ。もっとも、それは神のみぞ知ることであり、だからといって得をするとは限らない。あくまで精神的なものなのだろう。

いや、そうともいいきれないかもしれない。「禍福は糾《あざな》える縄の如し」だとか、「人間万事塞翁《さいおう》が馬」など、幸運と不運は交互に訪れる、つまり人生における運の総量は決まっているとする教えは山のようにある。これはまた経験則からもいえることである。多くの人がそのように感じているはずだ。道徳的規範の枠を超えて、あまりにも現実味を帯びた教訓である。だからこそ皆運を使いすぎないように努めるのだ。

ただ、運を見越して行為するというのは、あまりに打算的で、はたしてそれによって運がもたらされるのかどうかは甚《はなは》だ疑問である。それならば、欲のない者がそれゆえに褒美を与えられるとか、僥倖《ぎょうこう》に恵まれるといった話のほうが信憑《しんぴょう》性がある。無欲の勝利などといわれる通りである。きっと神様がご褒美を与えてくれるのだろう。

人間の欲と得は、皮肉にも反比例しているように思えてならない。欲が深いほど、結局損をしてしまう。反対に、欲がないほど、結果的に得をしている。それが人生ではなかろうか。何も宗教的教訓だとか、説教じみた話ではなくて、論理的な結論であるように思われる。おそらく、欲が深いと必要以上のことをしてしまうのだろう。それで失敗してしまう。人間、焦ると余計なことをするものだ。

これに対して、欲がないと冷静でいられる。だから不要なことはしないのだ。それどころか、的確に必要な行為をすることができる。なんでも手に入れるためには、不要な行為をすることなく、必要な行為を的確にするのが一番だ。

余分なものを捨てた人の手に多くのものが入ってくるのは、その意味で必然なのである。それはわかっているものの、なかなか実践できないのが人生だ。だから捨てられる人だけが得をするようになっているのだろう。

捨てられる人には、何が大切で、今何をやるべきかがはっきりと見えているのだと思う。捨てることは、真理の見極めと大いに関係している。

物事の本質を探り出す

一見必要に思えるものをあえて捨てる

四つ葉のクローバーを探したことはないだろうか？　無数の似たような葉っぱの中から、これは違う、あれは違うというふうに、一つずつ触って確かめる。そうやって一つずつ捨てていくことで初めて、求めているものに出逢うことができるのだ。いきなり最初につかんだものが四つ葉なのではない。

草花は無数にある。その中から気に入った一つを探し出す。それは求めているもの以外を捨てる行為ともいえるのだ。花という存在は、探し出されるのを待っている。普段は隠れているのだ。

世阿弥は能の精神を「秘すれば花」と表現した。すべてを見せてしまうことなく、ほのめかす。余韻を残す。能とはそういう隠す芸能なのだ。隠すことで花となる。しかし、隠すことはとても難しいことである。

私たちの表現行為を見ればわかるだろう。能に限らず、絵でもなんでもいい。素人はすべてを見せようとする。逆にどう隠せばいいかわからない。単に隠すのではない。あくまで魅力を醸し出すために隠すのだ。そこには技術が求められる。

一見必要に思えるものを、あえて捨てなければならないからだ。それは骨の折れる作業である。一気に捨てると、大事な部分が損なわれるかもしれない。だから先ほどの四つ葉のクローバーを探す時のように、少しずつ、少しずつ進めていく。

能の舞台上においても同じことが行われている。能の動きは極めて繊細だ。すり足で、動いているのか動いていないのかわからないくらいの小さな動きがそこに展開する。日本的ミニマリズムの一例といっていいだろう。

単にサイズを小さくするという西洋のミニマリズムとは異なり、日本の場合は世界観そのものを小さくするのである。それは不要なものを捨てるということとつながってくる。そうすることで初めて見えてくるものがあるからだろう。「一寸法師」をはじめ、小さな主人公を描いた昔話が少なくないのは、そうした理由からだと思われる。

物もそうだ。小さくするということは、かつて日本が誇ったハイテク製品がそうであったように、それだけ機能の本質を見極めていなければならない。

懸命に思索する中で捨てていく

とにかく捨てられるだけ捨てる。おそらくその極北に空《くう》の観念が立ち現れるのだろう。禅において、空は真理である。空は心を空っぽにすることで到達できる悟りの状態でもある。捨てることで物事を整理しようとする「断捨離」という発想があるが、これも元はヨガに由来するという。

心を空っぽにすることとは、物事を見極めるための方法論にほかならない。そしてそれは捨てることで可能になる。邪念や雑念を捨てるのである。

そのようなことをいうと、捨てる行為が何やら特別な修行を要する神秘的なものに聞こえてくるかもしれないが、決してそうではない。

希望とは断念することだと説いた三木清は、瞑想についても独自の見方を示している。

すべての魅力的な思索の魅力は瞑想に、このミスティックなもの、形而上学的なものにもとづいている。その意味においてすべての思想は、元来、甘いものである。思索が甘いものであるのではない、甘い思索というものは何等思索ではないであろう。思索の根底にある瞑想が甘美なものなのである。

（『人生論ノート』新潮文庫）

こう断言する三木は、懸命に思索をする者のみが、瞑想の訪れを享受することができると考えている。

思索とはいわば頭の中にあるエネルギーを使い果たす努力なのだろう。その結果、ふと瞑想という甘美な時間が訪れる。そうして人はインスピレーションを得るのである。だから通常思われているように、いくら心を空っぽにしようと努力しても、空っぽにはならないのだ。

懸命に思索する中で、エネルギーを捨てていかなければならない。しかしこれならば、誰にでもできるはずである。

捨てることで真理に到達するというのは、洋の東西を問わない。禅でなくとも、西洋の哲学にも前に触れた捨象という考え方がある。ここで少し詳しく書くと、捨象とは物事の本質を探り出すために、不要な要素を捨てていくということである。

不要な要素とは具体的な要素といっていいだろう。だから哲学をした結果、抽象的な概念だけが残る。抽象的なものは具体的なものが捨てられた結果なので、どの事象にも当てはまりうる普遍性を帯びる。それを私たちは本質と呼んでいるのだ。

捨てるというと、手で投げ捨てる様子を思い浮かべがちだが、ここにおいて捨てることは、あたかも手で彫刻の作品を彫るかのような印象へと変化してきた。捨てるというのは、余分なものを削ぎ落とし、素材の中に眠る本質を彫り出す行為に似ているのである。

では、なぜ人は本質を求めるのか？　答えは簡単だ。本質を見極めることができると、安堵を得られるからだ。わからないことは人を不安に陥れる。自分のやりたいこと、人生の目的、そうしたものがはっきりすれば、不安は消える。楽になるのだ。

捨てることは手であきらめる方法

捨てることを捨てなくていい

捨てることで真理が明らかになるだけではなくて、心まで楽になる。しかもそれは手によって実現することができる。捨てるのは手の営みだからだ。河原で石を投げる、腹が立った時に物を投げつける。いずれもすっきりするのは間違いない。肩も手の一部だとすると、肩の荷が下りるという表現も手の営みに含まれるかもしれない。正確には肩の荷を下ろすということだが、たしかに荷物を下ろすと楽になる。登山でもハイキングでも、食べ物や水分を摂るたび、荷物自体は軽くなる。そうして次第に楽に移動できるようになっていく。

普通の旅行は逆だ。お土産など荷物が増えるので、帰りは重い。旅の重さは荷物の重さである。だから余分なものは捨てていったほうがいい。

もちろん登山などでゴミを捨てていくのはマナー違反だが、ゴミを捨てるのは気分がいい。ゴミの日は楽になる日だといってもいいだろう。溜めに溜めたゴミをようやく出すことができる時、まるで便秘が解消したかのような心地にさえなる。

人が生きる限り、ゴミが出る。ゴミを可能な限り減らそうというのが昨今の風潮ではある。しかし、ゴミがゼロになるということは、捨てる喜びを失うことをも意味する。すべてが循環するのは素晴らしいことだが、それはあくまで環境負荷にとっての話である。

人間は筒、パイプのような存在だ。口から物を入れて、尻の穴から排泄するようにできている。決して中が空洞のドーナツのような形にはなっていない。どこからか入れたものが、永遠にグルグルと循環する仕組みではないのだ。だから本能的に捨てるという行為に喜びを覚えるのではないだろうか。あのカタルシスが、人の心を楽にする。

この世に存在するものには、パイプ型とドーナツ型があって、人間は明らかにパイプ型なのだ。パイプ型の存在にとっては、捨てることが不可欠だ。それに対して、地球はドーナツ型の存在なのだろう。だから本当は何も捨てないほうがいい。

その相異なる性質の両者が共存していくためには、人間が捨てた物が、地球の中で循環するようになっていればいいのだ。いわばそれは上手な捨て方ということになるだろう。捨てることで地球に、いや、世の中や他者に迷惑をかけることのないような捨て方さえ考えれば、人間は捨てることを捨てなくていい。身軽になることをあきらめなくていいのだ。

しがらみの捨て方

このように、捨てると人は身軽になる。物理的なものばかりではない。精神的なものもそうだ。よく「しがらみを捨てる」というが、まさに典型的な例だといえる。しがらみは、漢字で「柵」と書く。これは水流をせき止めるために、並べた杭に木の枝や竹などをからみつけたもので、そこから邪魔になるもの、まとわりつくものという意味が生じてきた。

生きているといろいろなものがまとわりついてくる。人生がスムーズに流れていかないのだ。だからせき止めるものを捨てる。

中国の道家の思想家である老子は、物事の最善の状態は水のように流れていくことだといった。いわゆる「上善如水《じょうぜんみずのごとし》」である。したがって、水流をせき止めるというのは、とりわけ人生を水流になぞらえた場合にはよくないことだといえる。

では、どのようにしてしがらみを捨てていけばいいのか。まとわりついたものを取り除くのは、楽ではない。そのせいで苦しくなってくるのだ。

ここで杭のイメージが役に立つ。つまり、杭を一本一本手を使って抜いていくと思えばいいのだ。抜いては捨て、抜いては捨てを繰り返せば、いずれしがらみはなくなるだろう。やはりそれは手の仕事なのである。

これは単なる比喩ではない。たとえば、人間関係というしがらみを捨てたいなら、手を使って手紙を書くか、メールでも打てばいい。あるいは、古い慣行を捨てたいなら、ルールを書き直せばいい。これも手の仕事だ。その際、物を捨てる時と同じで、人に迷惑をかけないような上手な捨て方をすべきなのはいうまでもない。そうでないと無責任のそしりを受けかねないからだ。

このように、ほとんどのしがらみは、手を使うことで捨てることができる。人間は手で捨てる生き物なのだから、少なくともそうイメージをすれば、やるべきことを見出すきっかけになるのではないだろうか。私たちは、手であきらめる方法を「捨てる」と呼んでいるのかもしれない。

他方で人間には足もある。だが、足で捨てるとはいわない。足はどう役立つのか？　私たちは、足であきらめる方法を何と呼んでいるのか？　それは「降りる」ということにほかならない。

春は、外でランチをするのに最適だ。由美は生き生きとした新入社員たちの様子を見るのが好きだ。初心に返れるから。

「ごめん、席取っててもらってありがとう」

奈々が遅れてやってくる。

「で、マー君とはちゃんと話し合ったの？」

「もちろん。なんだかほっとしてるようにも見えた。マー君もね、やっと私から解放されたんじゃないかなって思った」

「二人とも前に進めるってわけね」

そういわれて、由美はふと通りのほうに目をやった。数人の若い男女がふざけ合いながら歩いていく。

「うん。そんな話もした。私もマー君もね、何かにしがみついてたんだと思う。本当はもっと別の世界があるかもしれないのに、それを見ようとしなかったんだよね」

「マー君がそういったの？」

「話してる中で二人で気づいたって感じかな。何かを手放すことは、何かを得ることなんじゃないかって」

「捨てるのも悪くないってことか」

「そうよ。だって本質をつかむことだから」

「また哲学の話？　ずっとハマってない？」

「そうかもね。それより見て、あの子たち。キラキラしてるよねー。私たちも前はああだったのかなぁ」

木漏れ日の中をキラキラした新入社員たちが通り過ぎる。彼らもまたそのうち自分と同じような悩みを持つ日が来るのだろうか。

今は拾うことのほうが多いのだろうけれど、いずれ捨てる日が来る。

その日まで突っ走れ！　由美は心の中でそんなエールを送っていた。彼らに、そして再び走り始めた自分自身に……。

第4章

降りる

「君には本当に感謝してるんだけど、もうどうしようもないんだよ」

泉谷誠は外食チェーンで新卒入社以来30年も働いてきて、まさかのリストラ宣告を受けた。コロナ禍で会社自体が傾きかけているのはわかっていた。でも、自分まで肩を叩かれるとは。

「常務、あんまりですよ。降格を受け入れて残るか、早期退職するかの二択だなんて。しかも降格すると、現場にも出なければならないんですよね？」

「今よりさらに忙しくなる可能性はあるだろうね」

「それは困ります。家庭の問題もあって、逆に時間を確保したかったくらいですから」

「だから私としては早期退職するほうがいいように思うんだが。決めるのは君だ」

そういわれて泉谷は黙り込んでしまった。正直、早期退職するには勇気がいる。この歳で再就職できる自信もない。妻の佳苗はパート勤めなうえに、子どもにはまだ学費がかかる。まさににっちもさっちもいかない状況に追い込まれてしまったのだ。

泉谷はこれまでのサラリーマン人生を振り返っていた。以前にも会社が危機に陥った時には、現場をハシゴしてサポートに回ったし、スーツを着たまま調理場に立ったこともあった。そんなことを思い出していると、熱いものが込み上げてきた。

会社からの帰り道、30年間いつも通った商店街を抜けていく。文房具屋の隣が定食屋、その隣がスーパー。スーパーの入り口前には占い。そして哲学悩み相談。

ん、哲学悩み相談？　そんな看板を見たのは初めてだった。

泉谷は思わず足を止めて、まるで吸い込まれるかのようにそのブースに近づいていった。

「ようこそ」

小川が笑顔で出迎えた。泉谷は中に入り腰かけるや否やこう尋ねた。

「悩みを聞いてもらえるんですか？」

「そうですよ。解決できるかどうかはわかりませんけどね」

泉谷は詳しく自分の悩みについて語り始めた。新卒で外食チェーンに入り、レストランの現場でも昼夜の境なく働いてきたこと、その後商品企画や店舗経営に携わるようになってからは、事業の拡大の最前線に立って身を粉にして働いてきたこと、さらにはそのために家族を犠牲にし、今はいじめに遭っている娘の愛菜にもかまってやれない切なさ、そして今回のリストラのこと……。

「ひどいでしょ？　この30年間、家族との時間も犠牲にして会社に尽くしてきたのに」

「たしかにそうですね。でも今はコロナ禍で人員整理する会社が増えていますからね」

「それはわかるんですけど、どうしても降りられないんですよ」

「会社をですか？」

「人生をです。これまでずっと昇ってきましたからね。それってすごく勇気がいることなんですよ。少なくとも私にとってはね」

「ただ降格はあっても残れるんですよね？　あるいは早期退職といっても多めに退職金が出るんじゃないですか？」

「それは妥協です。どっちもイバラの道ですよ、現実には」

「なるほど。だから降りられない。じゃあ半分降りるというのはどうでしょう？　降りると思うから勇気がいるわけでしょ？　じゃあ半分だけ降りればいいんですよ。なんだかできそうな気がしません？」

「言葉的にはいい感じがしますけど、それはつまり足掻くのか、潔くリストラを受け入れるのか……」

「どっちでもいいと思います。どっちを選ぶにしても、半分降りたと思えばいいんです。これは妥協じゃありませんよ」

「どう違うんですか？」

「さっきどっちもイバラの道だといわれたじゃないですか。それに比べて、半分降りるのはバラ色の道だと思います。だって、半分は仕事のため、残りの半分は自分のために生きるんですから、両方のいいところを手にすることができるわけです」

泉谷はなんだか狐につままれたような感じがした。

「嘘だと思うならこれを読んでみてください。私が今書いている本の一部です。ちょうど『降りる』ということについて書いています」

小川から渡された原稿を手に、泉谷は家とは反対の駅のほうに向かっていった。そして再び電車に乗った。自分でも自分の行動がよくわからなかったが、おそらく会社に行って、もう一度常務と話し合おうとしたのだろう。ところが、そのまま電車を降りられなくなってしまった。結局、終着駅から引き返すはめになった。

翌朝になって、泉谷はその原稿を読むことにした。これを読み終わるまで、電車に乗ってもまた降りられないような気がしたからだ。人生は乗り物みたいなものなのだろうか。そんなことを考えながら最初のページをめくった……。

いつかは降りなければならない

旅は降りることに意味がある

乗り物は、乗ったら必ず降りるのに、降り物とはいわないのはなぜだろう？　しかも乗る回数と降りる回数は同じはずである。

おそらくそこには、降りることを軽視する人間のメンタリティが横たわっているように思えてならない。

私たちは移動するために乗り物に乗る。通勤や通学、旅行、誰かを訪ねる、用事があるといった理由で。あるいは乗り物に乗ること自体を楽しむこともあるだろう。しかし、いつかは降りなければならない。降りることを軽視すると、乗り過ごしたり、終着駅や車庫まで行ってしまったりすることにもなりかねない。

そもそも降りることは否定的なことなのだろうか？

目的地がある場合で、かつそこに行くことが楽しみなのであれば、本来降りることはいいことになるはずだ。「ぶらり途中下車の旅」などというのもあるが、その場合も降りることこそが楽しい営みとなるように思われる。旅は降りることに意味があるのだ。

人生という旅はどうだろう？

私たちは生まれた時から乗り物に乗る。

ベビーカー、自転車、車、バス、電車、船、飛行機……。

そのうち宇宙船にも乗るかもしれない。

ここには二つの意味がある。

一つは、実際に乗り物に乗るということ。

もう一つは比喩として、何かに乗っかって移動するかのように決まった人生を歩むということである。たとえば会社で働くとか、習い事を始めるとか、何か新しいことに挑戦するというように。

こういう時、実際に「大船に乗ったつもりで」とか、「乗りかかった船」「乗り換える」「バスに乗り遅れるな」などという比喩を用いることがある。

人は乗り物に乗って人生を過ごすからこそ、乗り物に乗ることが人生の喩えとなるのだ。

ポイントは、最初から最後まで乗り続けるわけではなく、またずっと同じものに乗るわけでもない点だ。つまり、乗ったり、降りたりするということである。

人生もまた乗るだけではなく、降りることを求められる営みなのだ。

乗ることばかりに目を奪われている

ところが、やはり降りることを軽視しているように思える。

先ほどの乗り物に乗る比喩でいうと、会社で働く、習い事を始める、挑戦し続けるということは、ワクワクドキドキ興奮して始めるものだ。だから始めやすい。

それに対して、会社を辞める、習い事をやめる、挑戦をやめるといった場合はどうだろうか？　これらはまさに降りるという比喩が当てはまる営みである。

ワクワクドキドキどころか、どんよりした気持ちでなかなか前に進まないのではないだろうか。ジンジンジリジリとでも表現しようか。いや、きっとそれは言葉にすらできない重い気持ちなのだろう。

降りなければならないのはわかっているのだが、心が揺れる。その揺れが時に乗り物の揺れとシンクロする。だから悩んでいる時に乗り物に乗ると、降りられなくなってしまうことがある。意外とそういう人は多いような気がする。

はたして降りることは、そんなにつらいことなのだろうか？　それはいったいどこから来ているのか。

降りることは軽視されているだけでなく、すっかり忘れ去られていることもある。楽しい遠足のバス旅行が永遠に続くかのように思い込む子どものごとく。あるいは、あたかも降りるなんてことは存在しないかのように、否定さえされていることもある。

ここには一種の固定観念があるのではないだろうか。たとえば、「降りるより乗るほうが楽しい」「乗るのは始まりで、降りるのは終わり」「乗るのは前向き、降りるのは後ろ向き」といった二項対立の視覚的イメージが、私たちを縛りつけているような気がしてならない。

本当は降りるということには、もっと深い意味があり、単純な二項対立で片づけられるような営みではないにもかかわらず、大きな誤解があるように思えてならないのだ。

私たちはいったいどこで間違えてしまったのだろうか。乗ることばかりに目を奪われ、降りることの大切さを見失ってしまった。そしていつの間にかそれは否定的な出来事にまで貶《おとし》められてしまったのだ。

だから、降りることを救い出さなければならない。降りられず、悩み続けている人たちを救い出すためにも。

まずは降りることの否定性の根源にまで、徹底的に降りてみよう。

降りることは負けではない

上にも昇れない、前にも進めない

基本的に人間は、上を善とし、下を悪とする価値観を抱いているのではないだろうか。たとえば、上級下級、身分の上下、上層階と下層階。だから下に向かう行為である降りることは、悪なのだ。

では、なぜ下は価値が低いのか？　そこには敗北の概念が関係しているように思えてならない。

動物である人間は、太古から争ってきた。その争いの中で勝ち抜いた者が支配者となり、上に立つ。負けた者はその下で働くことを余儀なくされるのである。

そうやって常に人間はピラミッドを作り、上下関係の中で生きてきた。下に甘んじざるを得ない者は、負け組なのだ。降参し、投降し、撤退し、挫折した人ばかりだったということだろう。

降参にも投降にも降という字が付く。下が負け組であるという観念と、降りるという言葉の持つ否定的なイメージの重なりは、ここからも見て取ることができる。

さらにいうと、撤退や挫折のように、止まる、引き下がるというニュアンスを持つ言葉については、その結果下に行くはめになるというだけでなく、前に進むことをやめるという水平移動の阻害も加わってくる。

本来であれば、人は前に進んでいくようにできている。にもかかわらず、不本意にも止まり、時には後退さえしなければならないのは、人間の本質にも反しているということなのだろう。

上にも昇れない、前にも進めない。それが降りるという行為の否定性の根っ子にある問題だといっていい。だから降りることの必要性を説くためには、こうした否定性を一つひとつ掘り返していくよりほかない。

名誉ある撤退

一般的にいえるのは、物事は相対的であり、いつも反対の見方ができるということである。降りるという行為にもその理《ことわり》は当てはまる。

一例として、「名誉ある撤退」という事態について考えてみたい。名誉ある撤退とは、一見、撞着《どうちゃく》語法のように思えるかもしれない。修飾語と名詞の間に矛盾があるということだ。何しろ撤退という否定的な行為に、名誉があるというのだから。つまり、撤退はするが、それは名誉あることで、肯定されるべき営みだというわけである。

歴史上で一番有名なのは、アメリカのニクソン大統領が、ベトナム戦争から撤退する時に用いた例だ。アメリカはそれまでも他国の戦争に介入したり、代理戦争をさせたりしてきた。時にはそれがうまくいかないこともある。ベトナムは最初の泥沼に陥った戦争だった。文字通り泥沼の中のゲリラ戦のせいである。

その時ニクソンはこの表現を用いて、撤退に成功したのだ。名誉ある撤退なら、プライドの高いアメリカ人も受け入れざるを得ない。その後もアメリカは泥沼に陥るたびに、事実上の名誉ある撤退を繰り返している。

アメリカだけではない。他の国も、企業も、個人も、皆名誉ある撤退の名のもとに、否定的に見られることなく撤退してきたのだ。

今もそういうことはよく起こっている。失敗を失敗と認めないための方便ともとれるが、少なくとも本人は堂々としていられる。周囲の評価は割れるだろうが、撤退しないよりましと感じる人が多いから、この方便は成り立っているのだろう。

それは「大人の降り方」と表現してもいいだろう。否定的な行為であるのはわかっているけれども、本人も明言しないし、周囲もあえてそのことを指摘しない。大人な態度なのである。しかも大人の降り方というのは、視覚的にもかっこいい、落ち着いた雰囲気を想起させる。

反対に「子どもの降り方」という表現があるとしたらどうか。多くの人は幼稚園児や小学生が慌ててバスを降りるような、危なっかしい様子を想起するのではないだろうか。撤退に当てはめると、いかにも不名誉なイメージだ。じたばたした挙句、最後は不可抗力でやむなく撤退するような感じである。

ただし、こうした撤退の仕方は正直ではある。子どものという表現に合わせるなら、純粋と表現したほうがいいだろうか。大人の降り方には、そのような正直さや純粋さはない。

そこにあるのは割り切れなさへの共感だけだ。名誉とは、そんな割り切れなさに贈られる慰めなのかもしれない。

このように、名誉という言葉を付けることで、どんな行為も誇らしいものに転化することが可能になる。試しに、先に挙げた否定的な行為にすべて名誉を付けてみればいい。名誉ある降参、名誉ある投降、名誉ある挫折……。

いかがだろうか？　まるですごいことを成し遂げたかのように聞こえないだろうか。

これらはあくまで物事の相対性を指摘し、降りるという行為の否定性を覆すために羅列したものだが、この世にはもっと納得のいく、降りる行為の肯定的側面があるのを見出すことが可能である。

そこで上下の価値観をひっくり返すところから始めよう。下は本当に上より下で、降りることは否定的なことなのかどうか。

その前に、今夜は窓を開けて、少しだけ星を見てもらいたい。天気がよければの話だが、夜空に広がるこの星たちが降ってくるとしたらどうだろう？　それはとても素敵なことなんじゃないだろうか。

上から見る（降りる）か、下から見る（降る）か

時間をひっくり返す

上下をひっくり返してみよう。

たとえば時間。砂時計をひっくり返すと時間が逆流する。雨は空を潤す水滴になるだろう。

この場合、たしかに逆のモノにはなるが、だからといって必ずしも価値が落ちるとか、意味がなくなるわけではない。意味が変わるだけである。ただそれも視点を固定しているからそうなるだけであって、視点を変えれば意味さえ変わらないだろう。

砂時計をひっくり返した時点から見始めたなら、時間の逆流ではなくなる。空に向かう雨も、空に住む人にとっては普通の雨だ（空に住む人がいればの話だが）。つまり視点を動かすと、物事の違いは相対的になる。

だから「昇降口」という名称があるのだろう。4階建ての建物にある同じ階段でも、4階に向かう人にとっては昇るもの、1階に向かう人にとっては降りるものになる。上り坂

と下り坂さえ、別の地点から見れば入れ替わる。

人生もそうなのではないだろうか。こっちは昇っているつもりでも、ある別の人、ある別の地点から見れば、降りているように見えるかもしれない。反対に、降りているつもりが、昇っているように見えることもあるだろう。

だからこんなふうにいう人が多いのだと思う。

「人生に遠回りはない」

これは失敗したと思ったことが、成功につながっていた時に出てくる表現である。最初から成功につながっているとわかれば、何も苦しむ必要はないのだが、その時の自分にはわからないものだ。

なぜか？　視点が固定されているからだろう。言い方を換えると、視野が狭くなっているのだ。

星になってみる

視点を固定することなく、かつ視野を広げるには、星になるのはどうだろうか。それも一つの星ではない。さまざまな星になるのだ。

星もまた降ってくるようで降ってはこない。だからといって止まっているわけではないし、私たちから同じ距離にあるのでもない。

しかも時間の感覚も私たちとは異なる。こちらからは見えているはずの星も、もう存在していないことだってあるのだから。星の光が届くまで、それだけ時間がかかるということだ。

もう存在しないのではないかと話題になったオリオン座のベテルギウスは、650光年先にあるという。まさに天文学的数字だ。そこに異星人が住んでいて、私たちの人生を見たらどう感じるのだろうか。

SFというジャンルが存在する意味の一つはここにあるような気がする。たとえば、宇宙の別の世界から地球の生活を見るという設定がよくあるが、その意味は、私たちの日常生活の相対化にほかならない。

それは作り手にとってもそうなのだろうが、読み手の一人ひとりが考えさせられる。文明化を推し進めていると思っていたところ、結局は破滅に向かっていたことに気づくとか、自分たちが一番いい生活をしていると思ったら、別世界から見れば哀れだったとか。

実は同じことは哲学にもできる。いや、哲学のほうがより柔軟にすることができる。サイエンスという枠組みもなければ、フィクションである必要もないからだ。思考実験のための空間は宇宙よりも広い。

そもそも宇宙という概念自体、哲学者が生み出したものだといっても過言ではない。たとえば古代ギリシアの哲学者アナクシマンドロスが、万物の始原を無限と表現したからこそ、限りのないものを総体として把握することが可能になったのである。

アナクシマンドロスの説によって、天空に見える光る物体の数々を、宇宙というひとまとまりの存在として認識し得たのだ。そうなれば、後はいくらでも応用できるし、調べることもできる。天文学はそうやって発展してきた。現にアナクシマンドロス自身が、すでに高度な宇宙論を展開していた。

でも、その最初の一歩は、あらゆる限定を無化してしまおうという発想であったことに注意しなければならない。それは哲学にのみ成し得たことなのだ。

人生は苦悩と謎に満ちている。まったくもって不可解で不確実な現象だ。しかし、それを別の形で総体としてとらえることは可能なのである。今私たちが何を無化すべきなのかはもう明らかだろう。そう、それはここで論じている「降りる」という行為に象徴される、一見苦悩だと思しき人生のすべての否定的な出来事にほかならない。

あらゆる否定的な現象を肯定してみようじゃないか。どんな行為もその名称にかかわらず、肯定的な意味を持ちうる。

落ちてくるわけでもない星たちを、「降る」と表現してきたように肯定するのだ。むしろ星たちは遥か高いところで燦然《さんぜん》と輝いているではないか。

降りることは妥協でも挫折でもない

時間を止める

時間をひっくり返す話の次は、時間を止める話をしよう。

砂時計をひっくり返せば、時間は逆流するといった。では、時間を止めるにはどうすればいいか。

それは砂時計を水平にするのである。そうすると時間は止まる。実際の時間は止まらないが、砂時計は止まるのだ。

ずるいといわれるかもしれないが、間違いではないだろう。奇しくもこうした発想の仕方を「水平思考」と呼ぶ。水平にするからではなく、論理的に垂直に掘り下げていくのとは違う考え方をするからだ。

水平思考は、もともとはマルタの発明家エドワード・デボノが、１９６７年ごろに発表したもので、英語では lateral thinking という。lateral とは横とか側面を意味する語だ。だから水平思考と訳されたのだろう。したがって、実際には多様なとらえ方や考え方をすることを指す。

たまたま先の時間を止めるためのアイデアは、砂時計を水平にするというものであっただけのことだ。

ほかにも、寝るというのも答えになりうる。なぜなら、時間とは時計の時間に限らず、意識の中の時間の流れを指すこともあるからだ。

現に、フランスの哲学者ベルクソンが「純粋持続」と呼んだ意識の時間がある。そうすると、寝ている無意識の状態では、時間が止まっているということもできるだろう。

ベルクソンのいう意識の時間は、時計の時間とは違って、意識の中に流れている時間感覚のようなものだ。誰しも経験があると思うが、実際に経過した時間と、自分が感じた時間は往々にして一致しない。そんな感覚としての時間は、意識がない間は動いていないとも考えられるということだ。

三本の矢なら折れない

こうした考え方はいわゆる妥協ではない。妥協とは、仕方なく折れることを意味する。だから敗北感を伴うのだ。そして降りることもまた妥協なので、敬遠されることになる。しかし、折れないなら、妥協しても敗北感はないし、実際敗北とはいえない。

「三本の矢」の逸話をご存じだろうか。戦国時代の武将、毛利元就が三人の子どもたちに協力し合って生きるよう伝えるため用いた比喩だといわれている。どうやら史実ではないようだが、この話のポイントは、一本の矢だと折れやすいが、三本の矢ならなかなか折れないということである。

たしかに三本だと力が分散するので、折れにくくなるのだろう。とするならば、私たちも折れるのが嫌なら自分を三人用意すればいいのだ。

具体的には、三つのことをしていれば、何かをあきらめたとしても、全体として折れたようには思えないのではないだろうか。人間の心は一つの塊なので、全体で感じ、全体で判断する。だから仮に一つ折れても、人生全体としては折れたと感じないことが可能になる。

もし一つのことで折れただけなのに、大きな敗北感を味わってしまうとしたら、それはまだ本当の意味で三本の矢を用意できていなかったということだ。

三本の矢という発想は妥協と取られるかもしれない。しかしこれもまた水平思考であって、前提として妥協しているにすぎない。だから結果としては折れていないのだ。「降りる」は頭の使い方次第で、「降りる」ではなく、「降りない」になりうる。

挫折という名の妥協もそうだ。妥協よりももっと敗北感の強い事態がこの挫折である。妥協の場合、矢が折れてもまだ半分残って使える状態だとすれば、挫折は一般にはもう何も残らない状態をいう。

たとえば、頑張っていたことを続けられなくなったとしよう。その場合、これまでやってきたことは何の意味もなくなる。時間とエネルギーの無駄だったというわけだ。そういう時、人は挫折したという。勉強、スポーツ、音楽。誰もが一度くらいはそんな感覚を味わったことがあるだろう。

ところが、その挫折でさえも、折れて終わりという事態にしてしまわない方法がある。

人間は教訓を得る生き物である。挫折したとしても、その悔しさが大きければ大きいほど、得られる教訓も大きくなる。

『今昔物語集』に出てくる有名なフレーズ「受領《ずりょう》は倒るるところに土をつかめ」は、まさに挫折を単に敗北に終わらせないための教訓を伝えているといっていいだろう。このフレーズは、平安時代の国司《こくし》、受領という存在の強欲さを象徴するものといわれるが、見方によっては挫折の肯定的なとらえ方にもなる。転んでも、足が折れても、心が折れても、何かをつかめばいい。

ただ山道で転んだだけなら土しかつかむものがないのだろうが、何かに打ち込んでいてつまずいた場合は、つかめるものがたくさんあるはずだ。かえってこれまで気づかなかった大事なものをつかむ者も多い。

人はそれを「チャンスをつかむ」と表現する。折れなければ見えないものがあるのだ。降りなければ見えない景色があるように。そしてまた、半分だけ降りることでしか見えない景色もある。

人生を半分だけ降りる

二つの人生を生きる

ジャック・レモン主演の名作『モリー先生との火曜日』という映画がある。モリー先生は不治の病に侵されながらも、死ぬこと、そして生きることについて人々に語ろうとする。その姿に触発され、かつての教え子である花形スポーツライターが、人生を見つめ直すというストーリーである。

そのスポーツライターは、時間や愛など大切なものを犠牲にしながら、ただしゃにむに働いてきた。そうした生き方が間違っていたのではないかと反省するのだ。そして本当の人生を取り戻していく。

モリー先生には、なぜ本当の人生がわかっていたのだろうか？　それは彼自身が不治の病に侵され、死と向き合ったからだろう。

いや、生と向き合ったからだといったほうが正しいだろう。残された時間の中で、本当にやりたいこと、やるべきことを考えて初めて、結局人はどう生きるべきかが見えてくるのである。

哲学者の中島義道は『人生を〈半分〉降りる　哲学的生き方のすすめ』（ちくま文庫）の中で、同様のことを書いている。残された時間をもっと自分のために使うべきであると。そうして40代から50代くらいの人に向けて、「半隠遁《はんいんとん》」の勧めを説いたのだ。

半隠遁とは、わかりやすくいうと半分引退することである。これくらいの年齢で本格的に隠遁するのは現実的に難しいからだ。もちろんもっと年を取れば、いつかは本格的に引退できるのだろう。でも、それからでは遅いという。

たしかにあまり年を取ってからだと、モリー先生のように、気づいた時には死が目の前に迫っているということにもなりかねない。だから、出世のために突っ走ったり、もう一花咲かせるためにすべてを犠牲にしたりするような生き方を、そろそろやめてはどうかというわけである。

中島のいう半隠遁は、人生を「半分」降りると表現されているところが魅力的だと感じる。そうすることで、二つの人生を送れるからだ。それを公的な人生と私的な人生と呼んでもいいし、建前の人生と本音の人生と呼んでもいいだろう。

あるいは、哲学者の九鬼周造にならい、「いき」な人生と呼ぶことも可能かもしれない。

九鬼は『「いき」の構造』（岩波文庫）において、日本独自の美意識として「いき」という概念の本質を追求した。そうして見出したのが、「垢抜して（諦）、張のある（意気地）、色っぽさ（媚態《びたい》）」という境地であった。

もともと「いき」は、江戸の遊里における芸者と客の恋愛を描写する言葉だ。愛してはいるのだけれども、決して結ばれてはいけない。だからといってめそめそするのではなく、凛《りん》として生きる。そんな二元的な態度を指すのである。

媚態とは互いを惹きつけ合う魅力であり、それに対してなびいてしまわない意気地を持ち、最後はあきらめる。したがって、このあきらめは、必ずしも否定的な意味ではない。あくまで選び取ったあきらめなのだ。こうして二元的な生を生きることが、美しいとされるのである。

「流す生き方」の勧め

それにしても、人間はそう簡単に二つの生を送ることなどできるのだろうか？よほど器用な人にしかできないように思われるかもしれない。ただ、自分の中にある二つの能力をうまく使い分けることは可能だ。感性と理性である。ここで私の説を紹介したいと思う。

多重人格でもない限り、人格は一つである。だから同時に二つの人格で生きることはできない。多重人格でさえ、複数の人格が入れ替わり現れるだけで、同時に二つというのは不可能だろう。

しかし、人格というのは意識であり、意識は思考の産物である。とするならば、右脳と左脳によって感性と理性を同時に働かせることのできる人間なる存在には、同時に二つの人格として生きる可能性があるのではないだろうか。

実際、人の話を聞きながら、考え事をしてしまうことがある。この時、一応は人の話も頭に入っている。つまり、同時に考えているのだ。なぜこんなことが可能になるかというと、人の話を聞くのは感性が司り、考え事は理性が司るというふうに分業が始まるからである。

同じことは、本を読みながらとか映画を観ながら何かを考える時にも起こる。ここで考えることに全神経を集中すると、感性まで動員されるので、本格的に思考が始まってしまう。そうなるともう同時進行で思考することはできなくなる。

このように、人の頭は一応物理的に、同時に二つの人生を送れるようにできているということだ。

したがって問題は、これをどう二元的な生き方、つまりは半分降りた生き方に応用していくかである。

私が提唱したいのは、「流す生き方」である。

ランニングで全力で走るのではなく、少しペースを遅らせて走ることを「流す」という。専門的には「ウインドスプリント」と呼ばれるものだ。走るトレーニングをする時、その前後に取り入れられる。そのほうが急に全力で走るよりも身体への負荷も小さく、効果的だからだ。

人の話を聞きながら考え事をするのも、「聞き流す」と表現することができる。流すとは、そのまま受け止めないことを意味する。人生には全力でそのまま受け止めるべき時期と、そうでない時期があるのだ。

アメリカの哲学者エリック・ホッファーはそんな流す生き方をしたお手本といってもいいだろう。大統領自由勲章を与えられるほどの偉大な哲学者だが、大学からの誘いも断り、仕事の量を選べる港湾労働者として働き続けた。そのかたわら、自由に思索を続けたのである。

まさに中島義道がいうように40代から50代で、先が見えているのにまだ隠遁するわけにはいかないのなら、流す生き方を試してみるのもいいのではないだろうか。

周囲からは開き直りに見えるかもしれないが、大切なのは自分の人生だ。それに、開き直ること自体そもそも悪ではない。

「あなたー、まだー？　みんなもう車で待ってるわよ」

「今行く。会社から電話かかってきて」

「わかったわ。終わったら玄関の鍵かけてきてね」

週末、泉谷は久しぶりに家族で一泊キャンプに行く約束をしていた。いじめに遭って学校を休みがちな愛菜の気持ちを紛らす意味もあった。

「ごめんごめん、終わった。鍵もかけたよ」

「大丈夫なの？　無理しなくていいのよ。みんな慣れっこだから」

「別の人にお願いしたから大丈夫」

「珍しいわね」

「前の会社とは違うからね。せっかくそういう融通が利く職場に転職したんだから」

泉谷は専業の店長として、老舗のレストランに転職していた。サラリーマン人生を振り返ってみると、やはり現場にいる時が一番生き生きしていたことに気づいたのだ。

何より今度はあくまで店長なので、お店がない時は基本的に休みになる。それによほどのことがない限り、前の職場のように急に呼び出されることもない。

「早期退職してよかったわね」

うれしそうに準備する泉谷に向かって、佳苗がそういった。

「おいおい、すぐ再就職したんだから、そう退職、退職っていうなよ。ま、半分降りただけさ」

「半分降りたかなんだか知らないけど、ドアを開けっぱなしで話さなくても。早く乗ってよ」

「これは半分乗ったっていうんじゃない?」

泉谷がそんな冗談を飛ばすと、愛菜は笑顔になった。

「さあみんな、今日はキャンプでプロの料理が味わえるぞ!」

「あなた店長だから作ってないじゃない」

そんな佳苗のツッコミに、皆思わず吹き出してしまった。

きっと半分降りて得られるものとは、こういう日常のことだったのだろう。

小春日和の林道をゆっくりと走る車の中には、幸せな笑い声が響き渡っていた。

第5章

開き直る

「藤永部長、明日の会議資料を確認していただけますか」

「売上予測のグラフはもうちょっと攻めた感じでもいいんじゃない？　厳しいなりに明るい未来を見せなきゃ。開き直りよ」

「すぐ作り直します。少し待っていただいていいですか？」

「ごめん、今日は定時に出るから任せる」

藤永恵子はＩＴベンチャーで活躍し、最年少で部長にも抜擢された。これまでの人生、仕事一筋で、男性から何度か言い寄られたり、周囲から見合いを持ちかけられたりしたこともあったが、常に断ってきた。完璧主義が災いして、結婚すると仕事と家庭の両立は自分には難しいと思ってしまうのだ。

そんな恵子には気になる年上の男性がいる。週末に通うジムで出逢った実業家の西条礼二だ。彼もまた独身で、少し話してすぐに気が合った。もうとっくに結婚はあきらめたはずだったのに。おそらく後悔もあったのだろう。それに、これが最後のチャンスかもしれないという想いがあった。

西条はすでに、待ち合わせのバーでハイボールを飲んでいた。

「仕事大丈夫だったの？」

「部下に任せてきちゃった」

「さすが部長」

「自分だって社長じゃない」

恵子にとって、異性とこんなに気楽に話せることはめったになかった。いつもはどうしてもかっこをつけてしまうのだ。強い女性を演じてしまうというか。

もう何杯飲んだだろうか。窓の外の景色が素敵に見えてきた。酔った証拠だ。

「恵子さん、これからのことなんだけど。僕らの関係は運命じゃないかなって思うんだ」

「……今日はここまでにしてもらってもいい？」

恵子はこれ以上話すと、西条がプロポーズしてきそうで、そして自分もそれを受けてしまいそうで、思わず立ち上がってしまった。

「具合でも悪いの？」

「そうじゃなくて。あの、今度絶対続きを聞くから」

そういって店を出てしまった。その後どっちに向かって走ったかも覚えていない。とにかくその場から早く逃げたかったのだ。

気づけば来たこともない商店街の中を歩いていた。スーパーの前に来ると、突然「哲学悩み相談」という看板が目に飛び込んできた。

さっきの運命という西条の言葉が脳裏にこだましていたせいか、なぜかその哲学悩み相談に運命を感じ、思わずブースの中に入ってしまった。誰かに気持ちを聞いてもらいたかったというのもあった。

「遅くにすいません。悩み聞いてもらってもいいですか？」

「ああ、どうぞどうぞ。今夜最後のお客さんですね」

恵子は酔っていたせいもあって、初対面の小川に対し、赤裸々に自分の過去や、結婚という言葉にはトラウマがあることなどを語り始めた。にもかかわらず、なぜか最近出逢った西条に惹かれて迷ってしまっていることも……。

「なるほど。今回は違うんですね。じゃあ違う態度を取ってもいいじゃないですか。つまり方針転換ですよ」

「でも、そうするとこれまでの自分を否定してしまうようで、踏ん切りがつかないんです。周りからも何かいわれそうですし」

「気にしないのが一番ですよ。完璧な人なんていませんから」

「自分の枠を崩すのが怖いんです」

「そんなの自分で作った枠でしょ？　また作り直したらどうですか、開き直って」

恵子は一瞬ハッとした表情を浮かべたが、またすぐにうつむいてしまった。そしてつぶやいた。

「仕事ではよくそういってるんですけどね」

「人生も同じですよ。ぜひこれを読んでみてください。私が今書いている本の一部です。『開き直り』について書いています。あなたにぴったりだと思いますよ」

小川から原稿を手渡された恵子は、少し酔いも醒めて冷静になったのか、タクシーを拾って家路についた。

タクシーに乗ると、なぜか涙が溢れ出してきた。

そしてその晩、恵子はベッドの中で原稿を読みふけった。まるで苦しみから逃走するための経路を模索するかのように……。

開き直りが強さを生む

開き直りは逆転のチャンスをもたらす

「あいつ開き直りやがった」

そう聞くと、どんな印象を持つだろうか。

驚く？　悪い？　怖い？　すごい？　かっこいい？

人によって異なるだろう。でも、これらすべてが開き直りという言葉の生み出すものであることは間違いない。そしておそらくは、この順で一般に理解されているのではなかろうか。つまり、開き直りは、基本的によくないことだと思われているのだ。

では、これならどうだろう？

「ようやく開き直れたんだね」

急にポジティブなイメージに変わったのではないかと思う。

すごいとか、かっこいい、むしろよかったねというニュアンスが感じ取れる。

このように、開き直るという言葉には両義性がある。

よくないニュアンスで用いられる場合は、「居直る」という言葉と混同されることがある。居直り強盗の居直りだ。これはほとんどの場合、悪いことをしていてそれを指摘されたにもかかわらず、態度を変えようとしない場合に用いられるものだ。

開き直りが悪い意味で用いられるのもこれと同じで、悪いことを継続するような場合だろう。ただ、開き直り強盗といわないのは、開き直りには開いて直す、つまり善い方向に変化する可能性があるからだ。

ここで着目したいのが、開き直りの持つその変化する部分である。哲学っぽく表現すると「遷移《せんい》的要素」と呼んでもいいだろう。

英語で考えるとわかりやすい。開き直るという語は、一般に turn defiant という。turn は転じるという動詞で、defiant は挑戦的なとか反抗的なという形容詞である。したがって、反抗に転じることを意味するわけだ。この turn の部分が重要になってくる。何から何に turn するのかということだ。

悪から悪にならず、開き直りは居直りと変わらず、否定的な行為になる。それに対して、悪から善になら、弱みを握られていたがために悪に手を染めていた人が、勇気を出して悪と手を切るというように、開き直りは途端に肯定的な行為になるのだ。

もちろん善から悪にということもありうる。たとえば、せっかくボランティア活動をしていたのに、どうせ偽善だろうと指摘されてやめてしまうといったケースだが、実際には少ないだろう。

いずれにしても、この遷移的要素があるがゆえに、開き直るという態度には強さが生まれるのは確かだと思う。それは変身を伴うからである。

弱いと思って攻撃したら、相手が急に豹変《ひょうへん》して反撃に出たというように、相手が開き直った時には恐怖さえ感じるものだ。「大人しくしてりゃいい気になりやがって」というあれだ。

ボクシングでも、防戦《ガード》一方の選手が急にノーガードになった時は、観戦しているこっちまで一瞬畏怖《いふ》を覚える。攻撃している選手はなおのことそうだろう。だから開き直ることを反転攻勢の機会にするわけである。

あるいは「弁慶の立ち往生」のように、全身に矢が刺さっても戦い続けるような人間にも畏怖を覚えるだろう。そうして相手をひるませる。

どちらの場合も、開き直ることによって強さを生み出しているわけである。だから開き直ることで強く生きていくことができるように思うのである。どんなに劣勢でも、防戦一方の人生でも、開き直りは逆転のチャンスをもたらす。人生という名の相手をひるませるのだ。

ずっと開き直りっぱなしでもいい

とはいえ、その後人生に勝つというのは、必ずしも勝ち組になることを意味するわけではない。あくまで降りた後の開き直りの話をしているからだ。極端にいうなら、ずっと開き直りっぱなしでもいいのだ。それは図太く生きていくことを意味する。

人から見れば勝ちではなくとも、自分自身の中に敗北がなければ、それでいいのではなかろうか。いろいろなことをあきらめなければならない厳しい時代にあって、態度を柔軟に変えるしなやかさと、図太く生きていける強さは、最も重要な要素であるといっていいだろう。開き直りは、その二つを備えた態度なのである。変化することで図太くなるのだから。

これはフランスの哲学者ドゥルーズらが、「リゾーム」と呼んだ概念に似ているかもしれない。根状の茎を表す言葉を、哲学概念に転化したものである。樹形図のように太い幹があり、そこから枝分かれしていく「ツリー」的思考法に対して、リゾームはあたかも土中の根のように柔軟に広がり続ける、ネットワーク的思考法である。

リゾームのほうが柔軟性があるうえに、強度も増す。大きな石が目の前にあれば、それをよけて進めばいいだけのことだ。何もそこで立ち往生する必要はない。そのせいで成長を止めるくらいなら、どんどん前に進んだほうが大きくなれる。その意味での強度が増すのである。

開き直るたび、人はより強く根を張り、したたかに生きていけるようになるのではないだろうか。上に伸びるだけが人生ではない。悠々と大地の中で広がっていく、そういう生き方もあるはずだ。

開き直りはかっこいい？

かっこいいとは「括弧のよさ」

なぜハードボイルドはかっこいいのか？

冷徹だけど筋を通す私立探偵。強靱なメンタルを持った一匹狼。我が道を行く孤高の存在。おそらくハードボイルドのかっこよさは、周囲に流されることのない異質性にあるのだろう。

周囲に流されることのない異質性は異端者やハッカーなど、あらゆる変わり者に共通する要素だといっていい。彼らは皆、その他大勢とは異なる。危険を承知であえて否と唱えることのできる人間なのだ。これがハードボイルドというカタカナでしか表記されないのもよくわかる。

そもそも日本人にはそういう性質は似合わない。協調性あるいはその裏返しの同調圧力を過大視して生きる民族だからである。

ハードボイルドの訳は「卵の固ゆで」だ。普通ならもっとまともな邦訳があって、それを用いているはずである。あるいは日本固有の表現をしているはずだ。

近いものといえば、傾奇者《かぶきもの》だろうか。歌舞伎の語源になった、風変わりな者、異質を好む者という意味である。ただ、それは決して憧れの対象でも、かっこいい存在でもなかった。

どこの世界でも、かっこいいという概念には普遍性がある。ハードボイルドはその一つだったのだろう。だから日本にはなかったが、それが輸入されて以来、定番のかっこよさになっているのだ。

そもそもかっこよさとはどこから来るのか？

それは「不在の継起《けいき》」といっていいだろう。なぜなら、かっこいいと感じる気持ちは、プラトンのいう「イデア」への憧れみたいなものだからだ。プラトンによると、あらゆる物事には究極の理想の姿があって、それはイデアと呼ばれる。でもそこに実体はない。

その意味で、かっこいいとは「括弧のよさ」を示唆するものなのだ。鉤《かぎ》括弧や小括弧などの記号としての括弧である。そうした括弧の中は、基本的に不在にならざるを得ない。括弧に入れるというのは、その部分だけが文脈から切り離されることを意味している。

オーストリア出身の哲学者フッサールが唱えた「エポケー」がまさにそうである。エポケーは「判断中止」とも呼ばれるように、思考対象を括弧に入れることで、それを世界から切り離す。言い換えるなら、それまで有していた意味が否定されるのである。

括弧には既存の意味を否定する効果がある。その意味での否定の肯定という否定性こそが、かっこよさの根源に潜んでいるといえよう。

ダークヒーローが、ヒーローと同じだけ、時にはそれ以上に人気を博するのは、そうした理由からだ。善悪は括弧の中の対象にすぎない。それは常に不在として継起するのだ。また、ヒーローが次々と入れ替わる歴史の必然性も、この不在の継起に関係している。

永遠にヒーローでいられる者など存在しない。

逆にいうと、私たちは形式さえ整えば、誰でもヒーローになれるし、かっこいい生き方をすることができるのだ。

その一つが、開き直るという行為にほかならない。開き直るとは括弧の中の対象を消してしまうことなのだ。

時に人は、開き直る行為を「ふっきる」と表現することがある。悩み事がなくなり、気持ちが軽くなる状態だ。それができていない状態は、まだ括弧の中にある何かにこだわっていて、開き直れていないのだろう。いかにもうじうじしていてかっこが悪い。

開くために自分に問いかける

潔くふっきることで、閉じられた扉が開く。開き直れる。きっと扉から出てきた姿は、堂々として傍目に映ることだろう。

イギリスの作曲家エルガーの名曲『威風堂々』を彷彿《ほうふつ》させるイメージだ。この曲の第1

番はイギリスでは「希望と栄光の国」と呼ばれている。もちろん希望と栄光の国とは大英帝国のことである。

そこには決して他の国に媚《こ》びることのない、高貴な精神を感じ取ることができる。従属や妥協、対話とさえ無縁な高貴な精神である。その高貴な精神は、もはや忘れ去られてしまった「モノローグ」の時代を象徴する態度だったのかもしれない。

やがて時代は「ダイアローグ」のそれへと変化していった。とりわけ第二次世界大戦以降、一気に対話の時代に突入した。まず話し合うべきだという空気が場を支配する。もはやその空気は常識となってしまい、今やひとり語りのモノローグは悪であるかのようにさえ思われている。なぜ対話をしないのかと。

しかし、対話をすることと、モノローグを大切にすることとは別の話である。

ここで強調したいのは、モノローグ的生き方の価値についてである。モノローグ的生き方とは、文字通り自分に問いかけることで、物事を判断していく態度だといっていい。その態度には依存も、甘えも、媚びへつらいもない。自分以外の存在である他なるものはもはやこのモノローグを遮《さえぎ》ることはできない。自分に問い、自分で考え、自分で判断をするという孤高の営みしか存在しない。これこそが真の開き直りの神髄である。

怖れるべきは、ほかでもない自分自身なのだ。他なるものとは乗り越えるべき何かにすぎない。その極致が、あの「運命」という厄介な存在である。

開き直りは運命に抗う手段

人は運命を受け入れられない

手塚治虫の名作『火の鳥』は、運命を描いた漫画だといっていいだろう。私たちはある時代のある場所に、ある一定の時間だけ生きることを運命づけられている。しかし、人は抗おうとする。その想いが火の鳥という幻想を生み出し、逆にその幻想に翻弄される。不老不死という永遠の命を手に入れようと、あらゆる愚行を繰り返すのである。皮肉なことに、永遠の命は手に入らないが、その愚かさだけは永遠に続く。

なぜ人は運命を受け入れられないのか？　そもそも運命とは何か？

もしかしたら、運命は神に似ているのかもしれない。神とは、不可解なものを受け入れるための方便である。そして運命もまた、不可解な定めを受け入れるための方便として生み出された概念であるといっていい。

「運命だから」といえば、引き下がるしかない。ところが、神に対するのと同じで、それでもその不可解さに立ち向かおうとするのが人間だ。なぜ神に祈るのかというと、それは不可解さを解消したいからである。

神に祈る場合、物事はまだ決定していない、未決定という前提がある。だから神に祈ることで、自分の望むように決定してもらおうとする。

これに対して運命の場合は、すでに物事は決定している。だが、それを覆そうとして立ち向かうのである。その意味では、完全な決定ではない。非決定なのだ。決定を否定し、覆す余地が残されている。少なくとも人はそう理解している。そうでなければ、運命に抗おうなどとは思わないだろう。

自分の気の済むようにすればいい

どうして決定に素直に従えないのだろうか。そこには、運命という不可抗力に対する不安が横たわっているように思えてならない。どうすることもできない時、人は不安を覚えるのである。

たとえば宇宙に行くことについて覚悟がいるのはなぜか？　宇宙ではもう人間は何をもなすことができないという不可抗力が、定めのようにのしかかっているからである。その定めの重力を無化するくらいの覚悟がなければ、無重力に身を委ねることはできない。『火の鳥』にも何度か宇宙が出てくる。宇宙は自由に動くことも、呼吸することもさせてはくれない不可抗力の象徴的な空間である。宇宙船で快適に旅行を楽しんでいても、ひとたび故障すれば、突如として死と向き合わねばならないのだ。

人間が宇宙において一定の行動を許されるのは、テクノロジーという名の魔法使いと取引したからである。しかし、この魔法使いは気まぐれだ。しかも、こちらからはどうすることもできない。これもまた不可抗力である。

この不可抗力への不安は、テクノロジーがどれほど日常に浸透しようと、どれだけ進化しようと消えることはない。いや、浸透すればするほど、進化すればするほど、比例的に不安は増していくことだろう。

今や当たり前になったオンラインでのコミュニケーションに、なぜか一抹の不安を覚えるのはそうした理由からだ。それはテクノロジーとのかかわりが不可避的に孕《はら》む不可抗力への不安にほかならない。

この状況を突破するために、最後の手段として、人は開き直るのである。

といっても、開き直る態度は一つではない。素直に受け入れるのが一番楽な方法だが、精神的には一番難しい。その対極にあるのが、抗い続けるという態度である。これは方法的にも難しく、精神的にもつらいだろう（それが生きがいになれば別だが）。

もう一つの選択肢は、やむなく受け入れるという態度である。これもまた開き直りの一つだ。方法的にも楽だし、どうしようもないのだから、精神の面でも現実的といえる。

もともと開き直りとは、どうしようもない状態だから取る態度だったのだ。ここまであまりそのことについて触れてこなかったが、本当は開き直りにとって最も核心的な部分だといっていい。

どうしようもない状態を前にして、人はやむなくという留保付きでそれを受け入れる。ドイツの哲学者ニーチェが、繰り返される苦しみを「超人思想」の名のもとに受け入れたように。あるいは、自分の不幸な生い立ちを背負って生きようとしたキルケゴールのように。この留保こそが、そんな運命を愛するというニーチェ的態度から、永遠に呪い続けるという若きキルケゴールの態度までを含め、さまざまなバリエーションを生み出すのだ。

しかし、いずれの態度も大差ないのかもしれない。火の鳥の目にそう映ってきたように、何をしようと、実は事態は変わらない可能性がある。

それは私たちのあずかり知らぬことだ。今を生きることしかできないのだから。ならばいっそ開き直って、自分の気の済むようにするというのはどうだろうか。

開き直りは苦しみからの逃走

人間は苦しみも味わうために生まれてきた

あなたは何のために生まれてきたのか?

あなたも人間である以上、この問いは人間がこの世に存在する理由を考えるヒントになるはずである。ひと言で答えるなら、苦しみと喜びを味わうためではないだろうか。

イギリスの思想家ベンサムは、自然は人間を苦痛と快楽という二つの主権者のもとに置いてきたと喝破した。その前提に基づき、苦痛を減らし、快楽を増やすことこそが正しいとして、「功利主義」を生み出したのだった。

たしかに人間は喜びを求めて生きる。それが目的だといわれれば、わかるような気がする。でも、なにゆえに苦しみまで目的にしなければならないのか？

それはおそらく、苦しみと喜びとは目的ではなく、結果だからだろう。より高尚な言い方をするならば、「存在の条件」ということになる。

プラトンが『プロタゴラス』で描いたように、人間はもともと何の能力も与えられていなかった。そこに神のもとで働いていたプロメテウスが、技術的な知恵と火を与えてくれたというのである。

ここからわかるのは、人間が不完全な存在であるということ、そして技術的な知恵、つまりはテクノロジーを頼りとして生き延びてきたということである。これこそが人間の存在の条件であり、苦しみの原因だと思うのである。

喜びを得たいにもかかわらず、不完全な人間にはそれを十分に叶えることができない。そこをテクノロジーによってカバーしようとする。もちろんそのおかげである程度の喜びは実現できるが、テクノロジーは万能ではない。

何より、当のテクノロジーが人を苦しめる結果を生み出すことがあるのだ。核兵器や原発の事故、行き過ぎたインターネット社会を見れば明らかだろう。あるいはやがて登場する自律型のAIと過ごしたり、メタバース（三次元の仮想空間）で過ごす日常を含めておいてもいいかもしれない。

だから人間は、喜びだけでなく苦しみも味わうために生まれてきたといわざるを得ないのである。苦しみは不可避であって、私たちにできるのは、苦しみが去り、喜びの日が訪れるのを待つことだけなのだ。

逃げることそのものに喜びを感じる

民俗学者の柳田國男が見出した「ハレとケ」という二項図式は、まさに苦しみながら喜びの日を待つ人間の本質を鋭く照らしている。人々はハレの日のために、普段は苦しみを味わいながら日常であるケを生きているのだ。収穫の喜びを得るためには、苦しい農作業に耐えるよりほかない。ハレの日は待つよりほかないのだ。

では、どうしても待てない時はどうすればいいのか？　それはもう村から逃走するしかない。「もう嫌だ」「やってられない」と開き直るのである。開き直りとは苦しみからの逃走でもあるのだ。

逃走。これほど人を興奮させる言葉はないだろう。逃走は苦しみから喜びへと向かうエロス的転換である。罪を犯して逃走したことがある方ならわかるだろう。いや、多くの人はそこまでの経験はないかもしれないが、いたずらをして逃走したとか、少なくとも鬼ごっこのような遊びで逃走したことはあるはずだ。

人は逃げることそのものに喜びを感じられる生き物なのだ。逃げるのは誰から、何からであってもいい。重要なのは、逃走を成立せしめる「から」の部分だけなのだから。

開き直りの背後には苦しみがあり、逃走は苦しみから逃げることを可能にする営みである。開かなければ、逃げられない。そして開くことができるのは自分だけなのだ。

逃げることを成し遂げたこと自体に、まず人は喜びを感じ、逃げ続けることにさらなる喜びを覚える。だから完全に逃げ切らないといけない。

だが、問題はそこにある。完全に逃げ切るためには、完璧さが要求されるからである。人間に完璧を求めるのは無理なのだ。

人生を変えようと思って逃げたはいいが、思ったようには生きられないのはなぜか？それは完全に逃げ切れていないからだ。逃げることを邪魔しているのは、環境ではない。もちろん他者でもない。あなたの抱く理想なのだ。どこかに完璧主義が潜んでいるに違いない。

おそらく多くの人は捕まった後にこう否認するだろう。自分は完璧主義者などではない。ただ運が悪かったのだと。

はたしてそうだろうか。逃げ切れると思った瞬間、人には不可視の完璧主義が巣食っている。人間が理想を抱く限り、夢を見る限り、誰かに憧れている限り、完璧主義と手を切るのは難しい。だから苦しまねばならないのだ。最後の敵は、そんな不可視の完璧主義である。

完成主義こそ開き直りである

完璧を目指すと完成しない

完璧主義者は苦しむよりほかない。なぜなら、有限な人間が完璧を常に実現するのは不可能に近いからだ。もしそれが可能というのなら、その人は真の完璧主義者ではないだろ

う。客観的に見れば、ただハードルをうまく下げられる人にすぎない。あるいは神か⁉

社会主義が計画経済に失敗したのと同じように、いやそれ以上に、不確定な人間の営みを完璧に計画し、完璧に遂行するなどということはできないのだ。言い換えると、絶対的な価値を求めても仕方ないということである。

人生においても、誰も完成したことのない地点を目指したり、生み出したりしようとする人がいる。しかし、それは人生を苦しみの色に染めることに等しい。その姿はある意味で哀れですらある。なぜなら、誰も完成したことのない地点などというものは存在しないからである。かつて存在したかもしれないし、宇宙のどこかに存在するかもしれないが、そのようなもののために苦しむというのはばかげているように思える（苦しむことを目的としているなら話は別だが）。

では、苦しまないためにはどうすればいいか？

完璧ではなく、完成を目指せばいいのだ。これを完璧主義に対して「完成主義」と呼ぼう。自分が完成したと思えるところを目指すということである。

完璧はあり得ないので、完璧を目指すと完成しない。だから完成主義に完璧の概念は相容れないのだ。

また、完成の目標が高いと完成しないので、完成主義が成り立たなくなる。かといって、これは単にハードルを下げるということではない。それでは心から完成したと思えないだろう。自分をごまかすことはできない。別の苦しみを抱えるだけのことである。

そうすると、自分の能力にちょうど合った、つまり適度に負荷をかける程度の目標を設定することになるのではないだろうか。そのギリギリのところを日々こなしていければ、日常は充実したものになるに違いない。

完成主義的満足

日々、立てた目標が完成していくのだから、これはネガティブな意味での妥協ではない。むしろ満足をもたらすものといえるだろう。「完成主義的満足」といったほうがいいかもしれない。

というのも、一般に満足というと、老子の説く「知足」のような意味でとらえられがちだからである。知足、すなわち足るを知るというのは、ほかにもあることを前提にしつつ、ほかのものではなく、今あるものに目を向けようとする態度だからだ。

完成主義的満足は、そのような知足的満足ではなく、どちらかというと同じ道家の思想家でも荘子のいう「万物斉同《ばんぶつせいどう》」に近い。つまり、それしかないのだ。

それしかないものを手に入れたら、それは満足というよりも納得なのだろう。完成主義的満足とは、それしかないものを手に入れた納得感だといえる。

また、得られるものがそれしかないという意味で、完成主義には点数はつけられない。よく60点主義だとか100点満点などというが、それは得られるものを分割できる時の話である。

完成主義の場合、途中で終わっても完成なのだ。もともとその結果しかなかったと考えるわけである。そうなったのには何らかの理由があるはずだからだ。たとえ自分の責めに帰すべき理由があったとしても、完成なのである。そこを問い始めると、完璧主義に陥ってしまう。

ここにきてようやく完成主義がある種の開き直りに聞こえてきたかもしれない。その通りである。完成主義とは開き直りなのだ。

ただし、過去に引きこもったり、現在にふんぞり返ったりするニヒリズム的な開き直りとはわけが違う。未来へと向かう前向きな開き直りである。

私たちは枠の中で生きている。そうせざるを得ない。広大な世界の中で生きるには、やれる範囲のことを区切ってやっていくよりほかない。そうして日々、その枠の中で完成を目指すのだ。

しかし、常に困難が立ちはだかる。そんな時、枠を開くことができるかどうか。そしてそのつど枠を作り直せるかどうかで、いい人生か、よくない人生かが決まる。

いい人生を送れる人は、そのつど枠を開き、枠を直せる。これが開き直りである。あるいは傷ついた場合は、治せるかどうかだ。人生というプロジェクトは、傷つくことの連続で構成されている。そのつど傷が治せないと、完成に至ることはできない。

さて、はたして開き直りにそんな治癒的意義を見出せるかどうか。

「ねえねえ、藤永部長ってさぁ、最近ますます仕事の鬼になってる感じしない？」

「なんか悪いことでもあったのかなぁ」

「あなたたち、何おしゃべりしてるの？　余計なこといってないで、早く会議の準備してくれない？　私ちょっとコーヒー買ってくるから」

西条とのデートの日、いや哲学悩み相談を受けた日から2週間が経った。恵子は相変わらず仕事に専念していた。ただ一つのことを除いては……。

恵子はスマホを持って外に出て、西条の番号を呼び出す。

電話はすぐにつながった。

「もしもし、藤永です」

「恵子さん⁉　あれから電話しても出てくれないから心配しちゃったよ。ジムにも来ないし」

「本当にごめんなさい、電話したのは……」

「おいおい、ショッキングな話の前に心の準備させてよ」

「じゃあ、うれしいことなら？」

「え？」

「ねえ、突然だけど今夜会えない？」

「いいけど。今度はきちんと話聞いてくれるの？」

「話は聞けると思う。ちゃんと開き直ったから」

「開き直った？」

「あとでわかるわよ」

「とにかくうれしいことなんだね？」

「そうとはいってないわよ。なんでも完璧を求めちゃだめなの」

恵子はそういって電話を切った。西条にとってうれしいことなのかどうかはわからないが、少なくとも恵子の声にはすがすがしさが漂っていた。

気持ちいい風が恵子の頬《ほお》を撫でていく。開き直ることで、新しい人生が開けることもあるのだ。恵子は妙に納得して、コーヒーを片手にオフィスへと戻っていった……。

終章

邂逅

人生に納得するというのはそう簡単ではない。いや、一度納得したと思っても、また疑問や不満が頭をもたげてくる。

中田も例外ではなかった。一度は歴史学者になる夢をあきらめたが、どうしても歴史書を趣味として読むだけの日々には満足できなかった。そこで、再びあの哲学悩み相談のブースを訪れることにした。しかし、ブースは開いていなかった。

中田はやむなく商店街を歩き始めた。そして気分転換するために、赤ちょうちんの出ている居酒屋で一杯ひっかけていくことにした。

「もしかして、中田さんですか?」

店に入ると、聞き覚えのある声が耳に飛び込んできた。小川だった。カウンターで一人で飲んでいたのだ。

「あ、小川先生! さっき、哲学悩み相談のブースに行ったんですよ。いやぁよかった。またお目にかかれて」

「そうなんですか。すいません最近大学のほうが忙しくて。よろしかったらご一緒にどうですか?」

「いいんですか? ありがとうございます」

すぐに中田は小川の横に座った。そしてビールやつまみをいくつか注文した。

「結局中田さんはあれからどうされたんですか？」

「それがですね、先生のおかげで一度は踏ん切りがついて、歴史学者になる夢はあきらめたんですよ。家族もいますし。で、歴史書を趣味で読んでいたんですけど、どうしても満足できなくて」

「なるほど、一度夢を見ると、そうなんですよね」

「先生の哲学書というかあの原稿、続きとかないでしょうか」

「ありますよ。でも、その前に中田さんがどうしたいのかお尋ねしないことにはね」

「そこなんですよ。歴史学者はもういいんですけど、何かこう没頭できるものが見つかるといいんですが」

「歴史に関してですか？」

「それがわからないんです」

「そういう状況ですか……」

小川はしばらく考えるそぶりを見せた。そして何かひらめいたかのように中田に提案した。

「じゃあこうするのはどうです？　毎日違う道を散歩する」

「どういうことですか？」

「違う道を散歩すると、違う景色に出くわしますよね」

「そりゃそうですけど、それで何か見つかります？」

「やってみなきゃわかりませんよ。案ずるより産むが易し。実はね、あの時はまだ原稿が全部できてなかったんですけど、もう完成したのでお渡しします。通して読んでみてください。とくに今の中田さんには終章がお勧めです。なんと『邂逅』というテーマなんですよ」

「え、今日の私たちじゃないですか！」

「そうですね。読んでいただければわかりますけど、私ね、結局人生は邂逅だと思うんです。別れがあれば出逢いがある。その繰り返しです」

「たしかにそうですよね」

中田はこれまで出逢った人のこと、そして別れた人のことを頭に思い浮かべていた。

「でもね、中田さん。それって人だけじゃないと思うんです。あきらめざるを得なかった物事だって、また出逢うことがあると思うんですよ」

その言葉を聞いて中田は一瞬ハッとした。ただ、完全には呑み込めなかった。

「夢はいつか叶うってことですか？」

「そうはいってません。前にもそれはなかなか難しいって話をしたかと思います」

中田は少し残念そうな表情を浮かべたが、小川は話を続けた。

「人生はね、偶然性に支配されていると思うんです。でも、そんな中にも何か縁みたいなものがあって、それとつながっている。だけどそれは見えない糸なんですよ」

「じゃあどうすればいいんですか？」

「苦しい時の神頼み」

小川は冗談ぽく、手を合わせて祈るような仕草をしながらいった。

その後どんな話をしたのか、中田はよく覚えていない。かなり飲んだような気がする。

気づけば家にたどり着いていた。しかし手にはちゃんと小川の原稿が入った茶封筒があった。

翌日、あらためて原稿を冒頭から読み始めた。そして小川にいわれた通り、会社の帰りには意識して違う道を歩くようにもしてみた。騙されたと思って。そして、のちに中田は、実際に人生の違う道を歩くことになる……。

開き直りの先に待っているもの

人生は出逢いと別れの繰り返し

開き直って、納得したはずの人生。にもかかわらず、人はまた悩み始める。生きるとはそんなものなのかもしれない。開き直ってはまた閉じこもる。おそらく多くはその繰り返しなのだろう。

ところが、ある出来事がその永遠回帰的な繰り返しの外側へと救い出してくれることがありうる。だからといって、もう二度と悩まないなどということはないかもしれないが、少なくとも、開き直った後の納得がその出来事のおかげで長く持続することは間違いない。そうした出来事のことを、人は「邂逅」と呼ぶ。邂逅とは思いがけないめぐり逢いのことだ。難しい漢字だが、どちらの字にも「しんにょう」が付いているように、道に関係している。

私たちは道を歩いていると、思わぬ物事に出くわす。見たこともないような草花、見知らぬ人、求人広告などなど。とくにゆっくり歩いている時がそうだ。走っていては目に入らない。いつもと違う道を歩くとなお新しいことに出くわす。それを求めて見知らぬ道を歩く人もいるという。中にはわざと目的地の一つ前の駅で降りたりする人もいるだろう。

人生も同じだ。どこかで降りて、そして歩いてみると、思わぬ出逢い、邂逅があるものだ。

つまり邂逅は、降りたからこそ起こりうることだといっていい。降りた人にだけ訪れる僥倖なのだ。そう考えると、人生を降りてみるのも悪くないと思えるんじゃないだろうか。開き直りの先にあるもの。それが邂逅だ。

不思議なことに、普段私たちはあまり邂逅について考えない。きっと、偶然起こることだから考えても仕方ないと思っているのだろう。哲学者とて例外ではない。なぜか邂逅について哲学した人はあまりいない。

邂逅は出逢いである。しかし、出逢いはそれ自体で存在するわけではなく、別れという一見対極にある事象とセットで存在しているといっていいだろう。

思い起こしてもらいたい。これまでの人生、出逢いと別れのどっちのほうが多かったか。おそらく同じくらいなのではないだろうか。

一般的にも出逢いと別れという表現をよく使う。人生には出逢いもあれば別れもあるというふうに。

たしかに人生とは、見方を変えれば出逢いと別れの繰り返しにすぎないのかもしれない。人が生まれてきて、時間と空間で構成された人生という名の場を彷徨う中で、誰かと出逢い、別れ、そしてまた出逢うということが繰り返される。最後はもちろん自分の死という別れで終わる。

出生が出逢いの始まりであり、死が別れの終わりなのだ。その途中には無数の出逢いと別れがある。必ずしも人との出逢いや別れを意味するだけではない。物や出来事との出逢いや別れもそうである。人も物も、そして仕事でさえも、出逢いと別れで構成されているといえる。

あたかもそれは円環のようなものであって、決して線的なものではないのだ。出逢いと別れは一回きりの行為ではなく、繰り返される。さらに再会という言葉があるように、同じ物や人に出逢うこともある。

再会は往々にして偶然の産物であり、私たちはその出来事に心躍らせるものである。それは遭遇であって、めぐり逢いとも重なりうる。

出逢いは偶然か必然か

面白いのは、再会に喜びが生じるためには、時間が必要だという点だ。別れた人とまたすぐに会ってもうれしくないだろう。逆に気まずささえ生じることがある。これはまだ、会ってしまうのは当たり前だという感覚があるからに違いない。いったん別れてしまって、もう会うはずはないにもかかわらず再会したという感覚が喜びを生むのだ。そのためには遭遇する確率がうんと低くなるだけの時間が必要なのだ。

出逢いという表現には、ほかにも出会いや出合いなどが使われることがあるが、基本的に私は、思いがけずというニュアンスのある出逢いが一番ふさわしいと思っている。なぜなら、すべての出逢いは、結局思いがけないものなのだ。偶然という要素に左右されるということである。たとえ約束していたとしても、会えないことだってあるのだから。

その反対に、必然的な出逢いがあるという人もいる。おそらく私たちはそう信じたいのだろう。この出逢いは必然であったと。それは死という必然的な別れの裏返しなのかもしれない。

出逢いと別れが円環を成す時、別れにだけ必然性が働くのは理屈に合わない。その点ではいずれかの出逢いは必然的なものなのだろう。少なくとも私たちはそう思って人生を抱きしめようとする。まるで偶然性というどうすることもできない運命に抗うかのように。

はたして邂逅は偶然性に支配された物理的現象にすぎないのか、それとも私たちの意志によって惹きつけられた運命的なものなのか。

邂逅を考えるうえで論理的な前提になってくるのがこの問題である。どうやら偶然性という厄介な壁を避けては、幸福な出逢いは望めないようだ。

偶然とは何か

偶然性は邂逅の条件

昨日の夜パスタを食べたのはなぜか？
今日の空が曇っているのはなぜか？
目の前にいる女性が自分の妻であるのはなぜか？

答えはこうだ。すべて偶然にすぎない。

もちろん理由はあるだろう。でも、その理由の理由を遡《さかのぼ》っていくと、だんだん曖昧になってくる。その途中でさまざまな不確定要素が影響していることに気づくのだ。だから結局は、すべては偶然にすぎないということになる。

邂逅と異なり、偶然性についてはいくつか哲学がある。とくに有名なのは、九鬼周造による『偶然性の問題』（岩波文庫）だろう。

実は九鬼がそこで邂逅という言葉を使っている。偶然性とは「独立なる二元の邂逅」であるといっているのだ。

そう、九鬼にとって偶然性とは同一性の破れた状態としての二元性にほかならない。ところが、その二元性が交差することがありうるのだ。あくまで例外として、あたかも遭遇してしまったかのように交差するというのである。だから偶然性とは邂逅だと表現しているのだ。

あるいは、偶然性は邂逅の条件だといっていいかもしれない。そうでなければ、出逢いなどということはなくなってしまうだろう。偶然性があるから出逢いが起こり、邂逅という事象が成り立つ。もっというなら、偶然性があるからこそ何かが起こるのだ。

いや、何かが存在し得るのだ。つまり偶然性とは物事が存在するための条件だとさえいえるだろう。

考えてみれば、私たちがこの世に生を享《う》けたのも偶然にすぎない。出生は最初の出逢いだといったが、まさに偶然の出来事なのだ。

だから九鬼も、究極の偶然として「離接的偶然」という概念に言及している。いわば、存在しないことさえあり得たものが、たまたま存在したという事態のことである。どんな物事も、存在しなかったかもしれないけれど、無数の可能性の中から、たまたま生じたのである。

九鬼はそこに無限の展望を見出そうとする。

偶然性は不可能性が可能性へ接する切点である。偶然性の中に極微の可能性を把握し、未来的なる可能性をはぐくむことによって行為の曲線を展開し、翻って現在的なる偶然性の生産的意味を倒逆的に理解することができる。

（『偶然性の問題』岩波文庫）

つまり、遡るとあらゆる出来事は偶然性の産物であり、偶然性が自分を生み出したとさえいえるのだ。

実は、九鬼が存在を肯定するための契機として偶然性をとらえたのには理由があった。九鬼自身、母親が自分を懐妊中に駆け落ちしてしまったという運命に悩み、二人の父親との関係をめぐって存在の不確実さを肯定する必要に迫られていたのだ。

私たちは皆、出生から死まで、偶然性の中で生じる人生の出来事をなんとか肯定しながら生きていかざるを得ないのである。

偶然性の必然性

生きていると思いもよらない出来事が起こることがある。事件とはそういうものだ。私的なものであれ、社会的なものであれ、そうした事件に翻弄されながら、人間は歴史を歩んでいく。

このことについてフランスの哲学者エドガール・モランは、人生を不確実性という大海の航海に喩えている。人生は同じ賽《さい》を反復的に投げる行為とは異なり、さまざまな特異な出来事からなっているというのである。

それゆえに人生は不確実であり、常に思いがけないことを想定する必要がある。モランは自伝といってもいい『百歳の哲学者が語る人生のこと』（河出書房新社）の中でそう書いている。タイトルの通り、激動の一世紀を生きてきた中で得た教訓を記した作品である。モランはユダヤ系であったため、若いころはナチスに追われ、多くの戦争や革命を目の当たりにしてきた。そして１００歳になった今もなお、パンデミックに見舞われている。その結論が、人生とは不確実なものだというのは興味深い。偶然性は避けられないのである。

しかしそう考えると、偶然性は必ず起こるという意味で、必然でもある。そのことだけには必然性があるのだ。

現にそう唱える思想家がいる。現代フランスの哲学者カンタン・メイヤスーである。メイヤスーは、人間には知り得ない世界があるという。考えてみれば当たり前のことだ。私たちが知っているのは、これまで判明したことや、そこから推測できることにすぎない。だとすると、まだ知られていないことについては、まったくの偶然に委ねられているといっても過言ではないだろう。経験則など通用しないのだ。

メイヤスーはそれを「ハイパーカオス」と呼ぶ。つまり、次の瞬間、この世はまったく別様のものに成りうる可能性だって否めないということである。それはメイヤスーの『有

限性の後で　偶然性の必然性についての試論』（人文書院）のサブタイトルにあるように、まさしく「偶然性の必然性」なのだ。

とすると、すべては偶然だとはいえなくなる。偶然何かが起こることは必然性という原理に支配されているからだ。この世には必然性もあるのだ。

愛する誰かとつながれる可能性や、奇跡的に物事が思い通りになる可能性もあるということだ。その一縷《いちる》の望みを、人は縁と呼ぶのではないだろうか。

縁とは何か

縁は円である

九鬼周造による偶然性の議論に邂逅の哲学の萌芽《ほうが》を見出し、その理論を発展させたのが哲学者の木岡伸夫による『邂逅の論理　〈縁〉の結ぶ世界へ』（春秋社）である。同書は、おそらく真正面から邂逅に対峙した唯一の哲学書だといっていいだろう。

木岡はその中で仏教用語である縁の概念を用い、邂逅の論理とは縁の論理であると結論づけている。縁という言葉が使われているように、そこには偶然性とともに出逢うべくして出逢ったという必然性も垣間見える。

実は私が強調したいのもその点である。偶然出くわすにしても、その前に伏線があるように思えてならないのだ。出来事を遡ると、偶然性に帰着せざるを得ないといったが、その偶然性はすべて何らかの必然性に支配されているともいえるわけである。なぜその偶然でなければならなかったのかということだ。そこに意味を見出すことも可能なのではないだろうか。それが伏線だ。

さらにいうなら、その先にも続きがあるように思えてならない。伏線の先の線である。人は人生という一本の線の上を歩いていくうえで、さまざまな出来事や人に出くわす。しかし、そのさまざまな出来事や人は点であって、どこかでつながっているのである。それらの無数の点が線を構成している。

これは直接的な因果関係があるということでは決してなく、どの出来事も人も相互に影響し合わざるを得ない関係にあるということだ。考えてみたら当たり前のことで、自分を取り巻くすべては、自分を中心に時空を超えてつながっている。だから常に、邂逅は過去と結びつき、未来へと放たれる定めにある。

しかしここでも時間軸は線的なものでは決してなく、円環を描く。縁を語るうえで、時間軸が円環になるのは、縁という言葉の音からも想起されるものである。縁は円であるというのは、日本人であれば容易にイメージできるのではないだろうか。

縁とはつながりである。そして円もまたつながりである。一つの点がぐるっと回って、別の点と結ばれる時、円が描かれる。その結びつきこそ縁にほかならない。そうして人と人の間に絆が生まれる。

縁、結びつき、絆。いずれも糸という字が付く。すべては糸のごとく結ばれていくのである。そういう世界に私たちは棲《す》んでいる。

邂逅は人智を超えた神の思し召し

いや、この世だけではない。縁は時空を超え、私たちを結びつけることがある。前世に関する観念がそれである。

死後の世界はあるのか、魂は消滅しないのか、生まれ変わりはあるのか、そんなことは誰にもわからない。わかるという人がいても、証明のしようがない。

ただ、観念として存在することは確かである。そうすると、前世を信じるかどうかという話になる。そして多くの合理的な人間でさえ、前世にまつわる話を信じたり、そうしたテーマを扱った物語を好んで見ようとしたりする。なぜなら、前世を信じることは、縁を信じることだからだ。

人と人とのつながり、出逢い、関係性は、きっとどこかに因果があって、それに基づいて起こっているに違いないと思いたいのである。無数にいる人間の中から、なぜあなたと出逢い、あなたと関係を持つのか。そのことに意味を持たせたいのである。

縁は人との出逢いにとどまらない。自分の仕事や運命まで含め、縁を信じたいのだ。縁がたとえこの宇宙空間における物理的な現象にすぎないとしても、数学的な確率の問題にすぎないとしても、信じたいのである。

そうした物理学や数学への矮小化《わいしょう》に耐えられないのが、人間という生き物である。私たちは物ではなく、数字でもない。それが人間の抵抗であり、おそらくは本質なのだろう。現に、これだけ科学が進歩しても、意識が作り出されることはない。物質としての脳をシミュレートするだけでは、意識は芽生えることはないのだ。人間は創り出せない。

邂逅もそうだ。人間自体創り出せないなら、その人間の営みもまた創り出すことなどできない。邂逅は計算によって実現できるものではないのだ。

誰かが誰かと知り合うこと、誰かが何かを認知することは計算可能かもしれない。しかし、それは邂逅ではない。ただの計算結果であり、シミュレーションなのだ。

邂逅はもっと時空を超えた深遠な要素に司られている。縁という言葉が仏教や神道の用語であることからも明らかなように、そこには人智を超えた力が作用している。私たちはそう信じているのである。

だから祈るのだ。縁を信じて、邂逅を信じて。この現実の先にある希望を、祈りによって実現しようと試みる。円環を閉じるのは神かもしれないが、祈ることでそれが起こる可能性に賭けるのである。

邂逅は決して物理的現象ではない。人智を超えた神の思し召しなのだろう。しかしだからこそ、そこに人間が介在する余地が生じる。最後の最後、人間には祈ることが残されているのである。

なんのために祈るのか

希望は最後の頼みの綱

結局、人間の運命は委ねられている。それが神になのか大いなる力になのか、あるいは宇宙の原理になのかはわからない。いずれにせよ自分ではどうすることもできない力に委ねられているのである。

それは誰もがよくわかっている。ドン・キホーテでもない限り、そのことを真剣に疑って、風車に立ち向かうなどということはないだろう。

にもかかわらず、私たちは祈りという慎ましやかな形で、最後まで足掻こうとするのである。剣を持って突進するのでも、銃で撃つのでもない。叫ぶことすらしない。ただ黙って、手を合わせるだけである。静かに目を閉じて、力の主に想いを伝える。ただそれだけのささやかな行為である。

だから祈る姿は美しいのだ。宗教画に描かれるように、真摯に祈りを捧げる姿からは、その者にしかない後光のようなオーラが発せられている。そのオーラは、きっと心の純度が高くなるのに比例して強くなるのだと思われる。

とするならば、そのオーラは力の主に対抗しうるものであるともいえる。力の主が全能なのは、唯一無二の力を持っているからである。

ところが、祈りを捧げる者にも唯一無二の力があるとすれば、世界の均衡は破られるかもしれない。その危うさが人を惹きつけるのだろう。祈る人に、そして祈りという行為そのものに惹きつけられるのである。

現に、剣で斬りかかろうとする一人の人間に対して、何も持たない別の人間が手を合わせて「お願いです、どうか命だけは」と祈るだけで、その行為を思いとどまらせることは可能だ。

かくして人は皆、希望を叶えようと祈り始める。希望はいつも人を勇気づける。あきらめた人の最後の頼みの綱は希望である。

ドイツの哲学者エルンスト・ブロッホが語ったように、希望とは空っぽから始めることのできる唯一の生きる意味である。何もなくなった末に、それでも人が生きていくことができるのは、希望という名の幻の器があるからにほかならない。その器を満たそうと、満たしてもらおうと両手で支えているのだ。

しかし、物理的に器は存在するわけではない。だから両手は重なり合い、祈りの姿となる。人には見えない器を持ち、待ち続けるのだ。

だが、人生は残酷だ。この世界には、そんな空の器さえ奪おうとする輩《やから》がいる。希望さえ奪おうとするのだ。夢も希望もないという言葉を聞くことがあるだろう。想像を絶するような残酷な状況が、人間には起こりうるのだ。

希望が潰えた後に祈りが残る

何度か言及してきた手塚治虫の名作『火の鳥』の中に、権力に逆らったかどで生き埋めにされた人たちが登場する。幸い彼らは火の鳥の生き血をなめていたので、すぐに死ぬことはなかった。でも、そこから永遠に出ることができないのはわかっていたのだ。いつかは命が絶えてしまうだろうと。それでも彼らは歌い続けた。希望などもうとっくに潰《つい》えてしまったはずなのに。

生き埋めという地獄。それに近い状況に追いやられた人や、今追いやられている人は現実の社会にもたくさんいる。そういう状況でどうして人は生きていけるのか。

哲学者の鷲田清一は、『「待つ」ということ』（角川選書）の中で、あらゆる希望の兆しの断念の後に、それでも待つことをおのれに言い聞かせることができるのはどうしてかと問う。そしてその答えとして祈りという言葉をとっておきたいと書いている。

そう、祈りは最後の頼みの綱である希望が潰えた後に残る、本当の最後の言葉なのだ。だから鷲田は、「とっておきたい」とそれこそ祈るように表現したのだろう。せめて祈りという行為だけは、人間から奪わないでほしいと。そうでないと、絶望は常に死へと直結してしまう。

すべてが失われてしまった後でさえ、人は祈りという形で足掻こうとする。何かを待ち続けるのだ。

そこまでして私たちはいったい何を求めているのだろうか。どうして完全にあきらめることができないのだろうか。

おそらくそこには、生ある限り人が実現しようとする重大な事柄が隠されているように思われる。他者がどうであれ、社会がどうであれ、神がどうであれ関係のない重大な事柄が隠されているのではないか。

人は最後は一人になる。死ぬ時は最後だし、その直前だって、やはり自分に向き合わざるを得ない。自分の人生はどうだったのかと。その想いは、死の間際だけでなく、実は常に私たちの頭をよぎっているといっていい。

誰かと生きながら、そして誰かのために生きながらも、人は常に自分の人生を生きている。常に自分を満たそうとしているのだ。たとえ死ぬとわかっていても、その瞬間までの人生を満たそうとする。死んだ後の人生さえも満たそうとするのだ。その想いが祈りの核心にあるといっていいだろう。

自己を満たすこと。それは満たされない自己への後悔であり、争いでもある。だから祈りは和解への想いとつながる。満たすことを祈る気持ちは、自分自身との和解を願っているのだ。

自分自身との和解

邂逅と和解

和解というと、他者との悪化した関係を修復することを思い浮かべるかもしれない。だが、そこにはもっと深い意味がある。

たとえばヘーゲルは、和解の概念を宗教の文脈で論じていた。罪深き人間という存在が、神の赦《ゆる》しを得るべく十字架にかけられ、その犠牲が和解へと導くことになったというのである。和解には自己を捧げ、否定するという苦しみを伴うのだ。

祈りとはそんな自己否定であるともいえる。自分を犠牲にしてでも願いを叶えようとする想いの先にあるのが和解である。しかし、宗教の文脈を超えて考えると、祈りは単なる自己否定的行為ではなくなる。より積極的に事態を変えようとする態度へと昇華せざるを得ないのだ。なぜなら、現実の世界においては、言葉や行動が必要だからである。

そのためには思考も要求されてくる。現にヘーゲルも、現実社会を論じる文脈においては、和解について次のようにいっている。


理性を現在の十字架における薔薇《ローズ》として認識し、それによって現在をよろこぶこと。この理性的な洞察こそ、哲学が人々に得させる現実との和解である、——いったん彼らに、概念において把握しようとする内的な要求が生じたならば。

（『法の哲学Ⅰ』藤野渉・赤沢正敏訳、中公クラシックス）

つまり、十字架という苦しみを前に、理性という薔薇によって克服しようとすることで初めて、現実との和解が訪れるというのである。そしてそれを可能にするのが哲学にほかならないと。

哲学が和解をもたらす。いかにして？　それは事態の本質をとらえることによってである。

苦しみは本当に苦しみなのか、苦しむしか選択肢はないのか、人生とは何か。そんな懐疑とそれに伴う視点の転換、さらには概念の再構築を通して、ようやく事態をとらえ直すことができる。失われていた人生が取り戻されるのだ。

すでに見てきたように、これが邂逅である。

前に邂逅という漢字には道を意味する「しんにょう」がどちらの字にも付いているといったが、そのしんにょうの中の字にも着目してもらいたい。一つは解という字、もう一つは后という字だ。前者は打ち解けるという意味であり、後者は天皇の妻という意味だ。ただ、后には後という意味もある。そこで私は後で打ち解けるというようにとらえたいと思う。しかも、道を歩んでいる途中、後で打ち解けるということだ。

これは和解という言葉と重なり合う。和解する時、人は正直に胸の内を打ち明けることで互いに理解し合い、相手を受け入れることが可能になるからだ。

他者に対してだけではない、自分に対してもそうだろう。自分の本当の気持ちを押し殺し、妥協して生きてきたとしよう。そんな自分に正直になり、生き方を変えることで、ようやく新しい人生を歩めるようになる。これも和解だ。

人生には常に邂逅がありうる

邂逅を過去そして未来へと接続するのは、この和解という概念なのではないだろうか。邂逅の実相とは、自分の人生との和解であり、自分との和解なのである。これしかないと思って生きてきた時、それを手に入れることができなければ不幸だろう。

しかし、別の何かに思いがけなく出くわして、それを心から求めることができたならどうだろうか？

それは邂逅であると同時に、欲しいものを手に入れられずに否定的にとらえてしまっていた人生との和解であり、手に入れられなかった自分との和解になるのではないかと思うのである。

和解とは悟った自分との邂逅だといってもいいだろう。この人生をいかに受け入れられるか納得した自分だけがたどり着ける境地だからだ。

人生はうまくいくはずがない。そもそもうまくいく人生とは、健康、富、成功、充実感、優越感、刺激、人間関係、自分と周囲の人まで含めた幸福といったものを永続的に手に入れることである。しかし、どう考えてもそんなことは神でもない限り不可能である。

つまり人生は不条理なものたらざるを得ない。だとすると、私たちはあり得ないものを求めていることになるのだ。

したがって、求めるべきは客観的にいい人生などではなく、主観的な心の安寧、諦念のみだといえる。そこに哲学の存在意義がある。

開き直って生きることは大事だ。でも、必要十分条件ではない。真の意味での人生の完成には、開き直った先にある邂逅が必要なのだ。

いや、もしかしたらそれは贅沢《ぜいたく》な望みなのかもしれない。だからこの話は、第6章ではなく、あえて終章として付け加えることにした。ただ、人生には常に邂逅がありうるということは確かだし、そしてそれを期待して生きることは常に可能なはずである。

あきらめるという言葉の極北には、邂逅がある。どうかそのことだけは忘れないでいただきたい。

人生というベクトルを持った営みには、幸いその先がある。

最後の最後まで……。

その日は日曜日だったが、小川は大学の研究室に忘れた資料を取りに行った。

するとから、見覚えのある顔が近づいてきた。

「あ、小川先生じゃないですか！」

「あれ、中田さん。こんなところで奇遇ですね」

「また邂逅ですね」

「まさかやっぱり大学院に通い始めたとか？」

「違いますよ。今ね、休日に史跡を案内する観光ボランティアを始めたんです。で、通訳ガイドの資格も取ったほうがいいということで、今日はここで試験があるんです」

「あ、そういうことですか。なんだか生き生きしてますね」

「おかげさまで、だいぶ散歩しましたから」

そういって中田は満面の笑みを見せた。

「あ、原稿を全部読んでくださったんですね」

「先生に出逢えて、そして哲学に出逢えてホントよかったです」

「ね、人生は邂逅でしょ？」

「たしかに。自分との和解っていう意味がよくわかりました」

「和解されたんですね」

「だから今日試験を受けるんです。あ、そろそろ試験が始まるので」

「頑張ってくださいね！　中田さん」

「先生、ありがとうございます！」

中田は試験会場のほうへと走っていった。それはもうあきらめた男の背中ではなかった。どう見ても希望に満ち溢れていたからだ。いや、あきらめたからこそ得られた希望なのだろう。

人生にはあきらめてみないと見えない景色がある。仮にやむなくあきらめたとしても、あきらめてよかったと思える景色に出くわすことがあるものだ。

だから時にはあきらめていい。

中田の背中を見送りながら、小川はそんなことを考えていた……。

今日もまた、小川は哲学悩み相談のブースにいる。悩める誰かとの邂逅を求めて。

おわりに

本書を書いている最中、突然ひどい眩暈《めまい》に襲われ、倒れてしまった。いわゆるメニエール病だ。疲れたり、ストレスがたまったりするとこうなる。このことを公の場でいうのは初めてなのだが、それには理由がある。普通はあまり病気のことはオープンにしないものだ。

だがこの病気のおかげで、まさに自分自身、あきらめることができた。だからあえてそのことを書きたいと思う。

これまでがむしゃらに走ってきて、月に何冊もの執筆を抱えていた。大学の仕事のほかにテレビ出演や講演をしながら、そして月に一冊ほどのペースで本を出し続けてきたのだ。気づけば100冊以上も出版していた。誰にいわせても、これは異常なペースだ。

幸いひっきりなしに依頼をいただけるので、全部引き受けるとこうなる。その代わり確実に過労状態に陥る。そんな生活をかれこれ16年ほど続けてきたツケが回ってきたのだろう。だから本書の内容は、私自身に向けて書いているような気がした。

もちろんそれだけではない。この心境にコロナ禍が影響していることは間違いない。最初に緊急事態宣言が出たころは、講演などが取りやめになり、そのほかにもさまざまな仕事が先行き不透明になってしまった。

大学を定年になるまでのあと10年ちょっと、これまでと同じハイペースで駆け抜けようと無邪気に青写真を描いていたので、それが強制的に白紙撤回されてしまうような無力感を覚えた。

考えてみれば、生涯同じペースで走り続けるなんてできるはずがない。身体も変化するし、世の中も変わる。

本文の中でも紹介したエドガール・モランが書いている通り、人生は常に予測不可能なのだ。

それは私にとっても例外ではなかった。長年走り続けてきてボロボロになった身体が、ついに内側から悲鳴を上げた時期と、立ち止まることを外側から強要された時期が偶然重なり、ついに筆を休めることを余儀なくされたのだ。

実際、その後も何度か眩暈に襲われ、本書の執筆も中断せざるを得なかった。編集者にはかなり迷惑をかけたが、状況を理解していただけたおかげで、なんとかここまでこぎ着けることができた。

この間、疲れたら休み、リラックスするというこれまでになかった時間の過ごし方をしてきた。犬を飼い始めたのもそんな「人間らしい時間」を過ごすためだ。

大学の仕事が最優先なので、この先どれだけ本を書けるかわからない。そういう状況なので、もしかしたらこの本が最後になるかもしれない。少なくともそういう想いでこの一年書き続けてきた。

だからといって悲壮になることは一度もなかった。なぜなら私自身がためらいながらも、きちんと降りて、開き直ることができたからだ。

残念ながらまだ邂逅には至っていないが、それがありうることは確信している。そう信じて、今日も愛犬と散歩に出かけようと思う。


さて、本書を執筆するにあたっては、多くの方にお世話になった。ここですべての方のお名前を記すわけにはいかないが、編集者の江川隆裕さんにはこの場をお借りして感謝申し上げたい。

江川さんとは『孤独を生き抜く哲学』（河出書房新社）に続く共同作業となった。コロナ禍で江川さん自身も「あきらめる」ことを真剣に考えられたそうだ。二人で何度も議論しながら、いや哲学しながら、本書の構想を練っていった。終章の「邂逅」という言葉も江川さんの口から出たものだ。その意味で、この本はまさに二人の邂逅から生まれたといっても過言ではない。

最後に、本書を手に取ってくださったすべての方にもお礼を申し上げたいと思う。本書が少しでも皆様の人生のお役に立てることを祈りつつ。

小川仁志

２０２２年12月　揺れ動く世界の片隅にて

主な参考文献

『新版　古事記　現代語訳付き』中村啓信訳注、角川ソフィア文庫、2009年

ショーペンハウアー『意志と表象としての世界』全3巻、西尾幹二訳、中公クラシックス、2004年

末木文美士『思想としての仏教入門』トランスビュー、2006年

パスカル『パンセ』前田陽一・由木康訳、中公文庫、1973年

ゲーテ『ファウスト　第一部』相良守峯訳、岩波文庫、1958年

セネカ『怒りについて　他二篇』兼利琢也訳、岩波文庫、2008年

M・メルロ＝ポンティ『知覚の現象学』中島盛夫訳、法政大学出版局、2015年

『ヘーゲル用語事典』岩佐茂・島崎隆・高田純編、未來社、1991年

『新版　伊勢物語　付現代語訳』石田穣二訳注、角川ソフィア文庫、1979年

髙樹のぶ子『伊勢物語　在原業平　恋と誠』日経プレミアシリーズ、2020年

『世界の大思想〈第2期　第8〉　キルケゴール　あれか、これか』浅井真男・志波一富訳、河出書房新社、1968年

村上春樹『猫を棄てる　父親について語るとき』文藝春秋、2020年

グレアム・ハーマン『四方対象　オブジェクト指向存在論入門』岡嶋隆佑監訳、山下智弘・鈴木優花・石井雅巳訳、人文書院、2017年

三木清『人生論ノート』新潮文庫、1978年

世阿弥『風姿花伝・花鏡』小西甚一編訳、タチバナ教養文庫、2012年

老子『老子』蜂屋邦夫訳注、岩波文庫、2008年

納富信留『ギリシア哲学史』筑摩書房、2021年
エドワード・デボノ『水平思考の世界』藤島みさ子訳、きこ書房、2015年
作者未詳『今昔物語集』大岡玲訳、光文社古典新訳文庫、2021年
中島義道『人生を〈半分〉降りる　哲学的生き方のすすめ』ちくま文庫、2008年
九鬼周造『「いき」の構造　他二篇』岩波文庫、1979年
ジル・ドゥルーズ+フェリックス・ガタリ『千のプラトー　資本主義と分裂症』全3巻、河出文庫、2010年
フッサール『現象学の理念』長谷川宏訳、作品社、1997年
手塚治虫『手塚治虫文庫全集　火の鳥』全11巻、講談社、2011年〜2012年
プラトン『プロタゴラス　あるソフィストとの対話』中澤務訳、光文社古典新訳文庫、2010年
福田アジオ『柳田国男の民俗学』吉川弘文館、2007年
九鬼周造『偶然性の問題』岩波文庫、2012年
エドガール・モラン『百歳の哲学者が語る人生のこと』澤田直訳、河出書房新社、2022年
カンタン・メイヤスー『有限性の後で　偶然性の必然性についての試論』千葉雅也・大橋完太郎・星野太訳、人文書院、2016年
木岡伸夫『邂逅の論理　〈縁〉の結ぶ世界へ』春秋社、2017年
エルンスト・ブロッホ『希望の原理　第一巻』山下肇・瀬戸鞏吉・片岡啓治・沼崎雅行・石丸昭二・保坂一夫訳、白水社、1982年
鷲田清一『「待つ」ということ』角川選書、2006年
ヘーゲル『法の哲学Ⅰ』藤野渉・赤沢正敏訳、中公クラシックス、2001年

小川仁志（おがわ・ひとし）

1970年、京都府生まれ。哲学者・山口大学国際総合科学部教授。京都大学法学部卒、名古屋市立大学大学院博士後期課程修了。博士（人間文化）。商社マン（伊藤忠商事）、フリーター、公務員（名古屋市役所）を経た異色の経歴。徳山工業高等専門学校准教授、米プリンストン大学客員研究員等を経て現職。専門は公共哲学。大学で課題解決のための新しい教育に取り組むかたわら、「哲学カフェ」を主宰するなど、市民のための哲学を実践している。また、テレビをはじめ各種メディアにて哲学の普及にも努めている。NHK Eテレ「世界の哲学者に人生相談」「ロッチと子羊」では指南役を務めた。著書も多く、『孤独を生き抜く哲学』（河出書房新社）、『中高生のための哲学入門 ──「大人」になる君へ ──』（ミネルヴァ書房）、『不条理を乗り越える　希望の哲学』（平凡社新書）など、これまでに100冊以上を出版している。YouTube「小川仁志の哲学チャンネル」でも発信中。

前向《まえむ》きに、あきらめる。
一歩踏《いっぽふ》み出《だ》すための哲学《てつがく》

発行日　2023年1月31日　第1刷発行

著者　小川仁志《おがわひとし》

発行者　茨木政彦
発行所　株式会社集英社クリエイティブ
〒101-0051　東京都千代田区神田神保町2-23-1
電話　03-3239-3811
発売所　株式会社集英社
〒101-8050　東京都千代田区一ツ橋2-5-10
電話　読者係　03-3230-6080
販売部　03-3230-6393（書店専用）

印刷所　凸版印刷株式会社
製本所　ナショナル製本協同組合

　ISBN 978-4-420-31100-7　C0030